EL ALCALDE DE ZALAMEA

COMEDIA EN TRES JORNADAS
Y EN VERSO

POR

CALDERÓN DE LA BARCA

WITH INTRODUCTION, NOTES AND VOCABULARY

BY

JAMES GEDDES, JR., PH.D.
PROFESSOR OF ROMANCE LANGUAGES IN BOSTON UNIVERSITY

D. C. HEATH & CO., PUBLISHERS
BOSTON   NEW YORK   CHICAGO

INTRODUCTION

I. Conquest of Portugal by Philip II in 1580. — The events that take place in Calderón's *El alcalde de Zalamea* have to do with the invasion of Portugal by Philip II in 1580. The young king of Portugal, Sebastián (1557–1578), grandson and successor of John III, engaged in an ill advised war against the Empire of Morocco, and fell, August 4, 1578, in the battle of Alcázar-Quivir in North Africa, waged against Muley Molek, the ruler of Fez and Morocco. Sebastián's aged uncle, the cardinal prince Henry, took the reins of government but died on the thirty-first of January, 1580 without heirs, Considerable confusion ensued. Philip II, taking advantage of this state of affairs, made claim to the throne of Portugal on the ground that his mother Isabella was the daughter of Manuel the Great and eldest sister of John III, and he himself had married the latter's first born daughter María. The only serious rival from whom Philip encountered opposition was a nephew of Henry, Prior Antonio de Crato, who had quite a following among the people, and as the representative of the Royal House claimed the throne. Philip, taking along his wife and family, left Madrid for the subjugation of Portugal, March 4, 1580. He traveled leisurely by way of Piul, Aranjuez, Ceca and Fuensalida, reaching Guadalupe on the twenty-fourth of March, where he spent the Easter holidays and remained some time longer. He then pursued his journey through Estremadura by way of Zorita, Villanueva de la Serena and Medellín to Mérida, where he arrived about the first of May. Here he was joined on the twelfth of May by his commander in chief of the expedition, the Duke of Alba, who came up from Llerena to talk over the plans for the campaign. From Mérida the march was resumed to Badajoz, the important Spanish frontier town, which was reached on the evening before Whitsuntide (the twenty-first of May). On the plain of Cantillana near Badajoz Philip reviewed his invader's army the thirteenth of June. From there the army led by the Duke of Alba marched into Portugal by way of Elvas, the Portuguese border town opposite Badajoz. The cities and towns on the march to Lisbon were subjugated either by arms or capitulated of their own accord. On the twenty-fifth of August, the Duke of Alba won a decisive victory over Antonio at Belem. He marched thence directly to Lisbon, where on the twelfth of September he had Philip II proclaimed King of Portugal. The war ended, and for sixty years (until 1640) Portugal remained under Spanish rule, or rather, misrule, bringing with it as to Spain itself oppression, humiliation, and poverty.

II. Journey of Philip II through Portugal to Lisbon. — Philip himself remained a considerable time in Badajoz after the departure of his army. Climatic conditions were unfavorable. For a time he was seriously ill with catarrhal fever, a kind of influenza, from which he had not fully recovered when he had the misfortune, on the twenty-sixth of October, to lose by death his fourth wife, Queen Anna, daughter of his sister María and of the Emperor Maximilian. This affliction caused him to spend some time longer in a cloister near Badajoz. It was not until early in December that he continued his journey onward through Portugal to Lisbon by way of Elvas, Portalegre, Abrantes and Thomar, where he spent the Easter holidays of 1581, remaining there altogether about ten weeks. The route was chosen for him by his physicians as likely to be the least injurious to his health. From Thomar he proceeded to Santarem, where he arrived on the second of June. He had given orders to Admiral Santa Cruz to meet him with one of his ships at Villa France de Xira, a town on the right bank of the Tagus

about twenty miles northeast of Lisbon. Here he embarked
on the thirteenth of June for Almada on the Tagus just opposite
Lisbon. He spent a little more than two weeks in Almada in
order to give time for the preparation of the festivities for his
reception in Lisbon where he arrived on the twenty-ninth of
June, 1581.

III. Return journey of Philip II to Madrid. — With the
exception of short visits to places in the vicinity of Lisbon,
Philip spent a year and a half in Lisbon. On the thirtieth of
January, 1583, having left the Archduke Albert to govern the
kingdom of Portugal, he started on his return journey to
Madrid. He went by water as far as Aldea Galega, about
ten miles east of Lisbon, thence over the land route to Setúbal
from where he proceeded to Badajoz, by way of Evora and
Estremoz. Reëntering Spain he spent one day at the cloister
in Guadalupe, thence to Madrid by way of Talavera de la
Reina and a number of small towns mentioned in documents
but not on maps generally available, arriving home on the
twenty-eighth of March, 1583, having been gone a little over
three years. That Philip II could have visited Zalamea with
his troops in the month of August, the time mentioned in the
play (II, 792), either on his way to Portugal or on his return
from that country, is, from what has just been shown, improbable. Moreover, had he done so, the event could hardly
have escaped mention in one way or another in some of the
documents of the time.

IV. Relations of D. Lope de F. to the Portuguese expedition.
— As regards the presence of the leader of the celebrated *tercio
de Flandes*, Don Lope de Figueroa, in the little town of Zalamea,
at the same time with the king, as portrayed in the play, it is
quite impossible to find any testimony tending to substantiate
the incident. The evidence points, as in the case of Philip
himself, to the improbability of either Lope or his *tercio de
Flandes* passing through Zalamea at this time. It is known
that Don Lope took part in the siege of Maestricht in the

Netherlands in the spring of 1579 (cf. XXVII), and that, later on, when the Prince Alessandro Farnese, in charge of the Spanish military operations in the Netherlands, was obliged to withdraw the troops, Don Lope with his regiment returned to Italy from which country he had only departed for the Netherlands at the urgent request of Don Juan of Austria, the predecessor of the Prince Farnese. It is also known that when the order was given for the famous regiment to take part in the expedition to Portugal, the order was qualified so as to read that one half of the regiment should leave Italy for Spain while the other should continue as before in Italy. It is known that Don Lope did not accompany this half of the regiment that left Italy (cf. XXVII), and which arrived in Portugal about the first of June, 1581. It is known that Don Lope only arrived in Lisbon shortly after this time to take charge of his troops, because, on the twenty-fifth of July, he sailed out of the port with ten ships and eight companies of soldiers to take part in the expedition to the island of Terceira. It is reasonable to suppose that he left his post in Italy only when receiving orders so to do. That he could have been in Zalamea with his regiment in August, 1580, as represented in the play, appears from what is here shown impossible.

V. How to construe the words *historia verdadera*. — It is only fair to state concretely, as above, the historical facts in connection with the play, in order to obtain as accurately as possible the point of view of the author, as well as a just appreciation of the situation pictured in the play. Moreover, Calderón closes the drama with the words: *Con que fin el autor da a esta historia verdadera.* Just what he means by *historia verdadera* is of interest to understand adequately. It is quite possible that a captain named Alvaro de Ataíde may have passed with his company through the town of Zalamea on his way to join the Duke of Alba's army at Badajoz; that this captain may have been billeted upon a wealthy peasant named

Pedro Crespo, and have conducted himself in the dastardly way described by Calderón with the ensuing tragic consequences. But, for the reasons given, it could not have occurred at the time it did, and with the king and the field marshal playing the conspicuous parts as represented in the tragedy at the same time.

These facts, however, in no wise invalidate the merit of the play, nor is their statement intended to reflect disparagingly on the author's characterization of it as a *historia verdadera*. On the contrary, there is more probability that a tragedy such as is brought out in the play had its ground work in what actually took place, or was said by some one to have taken place, than in pure invention. The term *historia verdadera* appears to be a conventional phrase, used not infrequently by writers of the period to indicate such portion of their work as is founded on fact or hearsay rather than a piece of imaginative writing pure and simple; witness its use by the older and younger contemporaries of Calderón in the same way and at the end of such works as Andrés de Claramonte's *El valiente negro en Flandes,* Rodrigo de Herrera's *Del cielo viene el buen rey* (here the expression is *Este caso verdadero*), Juan Ruiz de Alarcón's *La cueva de Salamanca*, and Lope de Vega's *Al pasar del arroyo;* many others also can easily be cited. Thus from what is shown by the writings of the period it is not the author's intention to have the words *historia verdadera* or *caso verdadero* taken too seriously.

VI. The *Alcalde de Zalamea* a historical tragi-comedy. — It is customary for critics to classify Calderón's plays in groups according to what appears the essential motive of the play, that is mystical, or religious, as in *La devoción a la cruz, El purgatorio de san Patricio, El mágico prodigioso;* philosophical, *La vida es sueño;* historical, *El príncipe constante;* " capa y espada," plays more like the modern comedy, such as *La casa con dos puertas, Antes de todo es mi dama, Guárdate del agua mansa,* etc.

Some critics classify in a broader and more general way, dividing the plays simply into dramas and comedies, the former comprising the more serious themes, the latter those in a lighter vein. It must be obvious, however, that, make what differentiations one will, these distinctions remain to a considerable degree, in most cases purely arbitrary; for the religious and philosophical blend easily together, and the historical elements may be more or less prominent in many otherwise entirely different plays. Take for instance *El alcalde de Zalamea*. It comes under no one head specifically. It is historical as regards Philip II and Don Lope de Figueroa, and the Portuguese expedition, light comedy as regards Don Mendo and Nuño, and tragic as regards Isabel and the captain. Moreover, the play deals with the peasant class, being the only one of Calderón's many plays, except *Luis Pérez el gallego*, that pictures especially the characteristics of peasants and their surroundings.

VII. The *Alcalde de Zalamea* not only a play of intrigue, but a character play as well. — It becomes immediately of interest to know how Calderón happened to depart from the custom followed in more than a hundred plays to treat a subject with which he was less familiar, the peasantry, rather than the nobility, his particular theme in which he was so thoroughly versed. Moreover, among Calderón's plays which in general owe their intrinsic merit to the plot, in the invention of which their author was wonderfully clever, here the character painting is on the high level of the artistic development of the plot. Pedro Crespo is an admirably drawn character, remaining impressed on the reader's mind as a splendid type of the Spanish peasant, possessing in a marked degree those indispensable homely virtues: honesty, integrity, sincerity of purpose, and the power to carry it out. In its way, also, no less successfully drawn is Don Mendo, the *rara figura* of the play, who epitomizes the inanity, folly, and imbecility of a type of the poor hidalgo of the period, imbued with the medieval ideas of

chivalry to whom work of any kind is a disgrace, and who is
a parasite and nuisance in the community. The rôle of Nuño,
the hidalgo's servant, affords precisely the opportunity needed
by the *gracioso* for enlivening the situation. The villain of the
play, the captain, is equally memorable as a likeness of a type
of soldier whose brutal instincts are paramount and who will
allow nothing whatever to stand in the way of gratifying them.
He stands also as the representative of a military caste possessing special privileges and therefore particularly odious to the
more democratic bourgeois class, or the *villanos*, represented
by Crespo. Here in this seventeenth century play of Calderón,
at a time when the rule of the privileged class, the titled
aristocracy, was dominant throughout the Spanish dominions,
the question of democratic versus aristocratic principles was
put on trial in seventeenth century fashion, just as to-day,
in the twentieth century, it is being tried out in Europe. The
dénouement of the play shows that despite tradition and
precedent, the decision was made, even under conditions of
radical intolerance, in no uncertain manner. How is it that
Calderón, nobleman, soldier, and priest, could dare to present
and handle such a subject in the way he did?

VIII. Calderón's youth. — Calderón lived during his long
life (January 17, 1600 to May 25, 1681) under three Spanish
monarchs: Philip III (1598–1620), a reign pitiably deficient in
interest, Philip IV (1621–1665), and Charles II (1665–1700),
and was only two decades distant from the epoch described
(1580) in *El alcalde de Zalamea*. Reliable data in regard to
his long life, during much of which he was in the public eye,
are remarkably meager. It is known that he was sent to the
Jesuit *Colegio Imperial* in Madrid. Most of the biographers,
including Ticknor, state that from there he went to the University of Salamanca, distinguishing himself in the time honored
branches of the day: scholastic theology and philosophy,
canon and civil law. There seems, however, as in the case of
similar statements concerning Cervantes, to be no more proof

for these assertions than for that of a French biographer who includes among the branches in which Calderón distinguished himself, history and geography, adding, however, with a grain of levity, that seeing the latitude taken by the poet in his literary work with these two branches of learning, the attainment of such academic distinction in them seems altogether extraordinary. It would appear from events that occurred that Calderón early had the opportunity, from which he profited, of mixing in the social and literary life of Madrid.

IX. Calderón, the man of letters. — In 1620 he is found taking part in a prize competition in honor of San Isidro, the patron saint of Madrid, receiving from Lope de Vega a compliment for his efforts. Among those competing with him are found some of the most brilliant literary lights of the epoch: Luis de Belmonte, Vicente Espinel, Jáuregui, Montalván, Lope de Vega, and López de Zárate. In 1622, at a San Isidro festivity, he was given a third prize. From 1625 to 1635, his grandiloquent and very unsatisfactory biographer, Vera Tassis, tells us that he served in the Spanish army in Milan and Flanders. He must, however, have returned to Spain in that interval, for there is a record of his being in Madrid in 1629, and drawing his sword in defense of his brother who had been stabbed by an actor. At all events, whether during this period the poet was in Flanders, Italy, or Spain, at least as many as twenty of his pieces belong to this decade, among them *El príncipe constante, Casa con dos puertas, La vida es sueño*. Owing to the uncertainty in regard to the date of composition of Calderón's plays, which were oftentimes published at long intervals after their composition and first performance, it is hazardous to attempt to give dates for many of his plays, however desirable it is to do so in the interest of accuracy.

Philip IV was an enthusiastic lover of letters and the drama and had a sincere appreciation of Calderón's talent for producing plays that were so thoroughly national and popular. To be sure, the king still had with him Lope de Vega, Tirso de

Molina, and Alarcón, but their celebrity dated from the preceding reigns, while the new star came into existence just as Philip himself came to the throne (1621), and so was more intimately identified with the reigning monarch. Thus it was that in 1635, the year of Lope's death, the king, as was quite natural, named Calderón successor to Lope as superintendent of the court theatrical functions. The poet occupied an analogous place to that of Molière at the Court of Louis XIV, except that he did not take part in the performance of his own plays as Molière did.

X. **Calderón, the soldier.** — In 1637, Philip conferred upon Calderón knighthood in the Order of Santiago, an honor, however, which carried responsibilities with it, for in 1640 the various Orders of knights were ordered to Catalonia to suppress there the rebellion caused largely by outrages and excesses of of all kinds committed by the Spanish soldiers on the civilian population. Calderón took the time to finish a play the king had asked him to write, and then departed to join his Order in Catalonia. He appears to have spent two years in Aragón, obtaining leave to come home on the fifteenth of November, 1642, on account of ill health. When Philip, in 1649, married his second wife, María Anna of Austria (mother of Charles II of Spain), having lost his first wife, Elizabeth of France (Isabel de Borbón, mother of Marie-Thérèse, who married Louis XIV in 1660), in 1645, it was Calderón who prepared the elaborate official report of the wedding festivities.

XI. **Calderón, the priest.** — The year 1651 marks one of the most memorable years in the life of the poet. The quantity and the quality of his literary output had now made him easily the most notable figure in the field of Spanish seventeenth century letters, just as in the century preceding, Cervantes and Lope de Vega had claimed the well-nigh universal attention of the Spanish literary world. The particular event of the year 1651 was his being ordained a priest. The transition, however, from soldier to priest was common among men of letters, Lope de Vega and others having followed the same course. It was Calderón's intention to renounce writing for the secular stage upon assuming the functions of a priest, but he yielded to the king's wish, continuing to write to the very end of his life. In 1653 the king appointed him chaplain at Toledo, but desiring the poet's presence at the court of Madrid, he made him in 1663 his own honorary chaplain. His rise through the various grades of the priesthood was rapid, and throughout this period he wrote many *autos* furnishing annually for the Easter festivities to the very end of his life a play of this description. Rarely has a court poet enjoyed more fully the esteem and affection of a monarch. He died on the twenty-fifth of May, 1681, engaged at the time in the composition of a religious play, or, as his friend the historian and poet Antonio de Solís said of him, he died "like the swan, singing."

XII. Calderón's general experience. — In the summary of what is here taken in a general way to give the salient features in the poet's career, Calderón appears in the rôle of a man of letters, a soldier, and a priest. As a man of letters, he was familiar with literature, and particularly the work of his contemporaries and immediate predecessors of whom Lope de Vega and Cervantes are the most distinguished. As a soldier, his experience in Italy and particularly in Aragón rendered him thoroughly familiar with the conditions of Spanish soldiery. As a priest, his ideas of the fitness of things were naturally those of the age and surroundings in which he lived, and were tempered with a spirit of justice. Left to his own devices, without literary influence, in view of the fact that but two of his plays deal with the *villanos*, the Spanish peasantry, it appears little probable that his literary vein would have found its way into this channel. This assumption suggests how Calderón actually did get the idea so effectively carried out in *El alcalde de Zalamea*.

XIII. Lope de Vega's *Alcalde de Zalamea*. — In the vast repertory of Lope de Vega, there is found a play entitled *El*

alcalde de Zalamea. The action of the play takes place among
the peasantry whom Lope knew so well. The hero of the play,
Pedro Crespo, a *villano*, is made an *alcalde* at the very beginning
of the play, which gives Crespo an opportunity of practicing
justice in an entirely disinterested manner in the case of a
peasant who has been cheated by a shopkeeper, before the
alcalde has occasion to do so in the case of two officers who
carry off his two daughters. The difference in the flight from
home of the two girls in Lope's piece and the seizure by the
captain of Isabella in that of Calderón is that in the former the
girls elope gladly with the soldiers while in the latter Isabel
is carried off by brute force. The alcalde in Lope's play
captures the two officers and forces them to marry his two
daughters. The king and Don Lope de Figueroa then come
in and are treated with all due respect by the alcalde. Don
Lope, who has heard of what has taken place, asks to have
the two officers guilty of a criminal offense appear before him.
The alcalde points to their bodies swinging from a balcony.
The girls are sent by their father to a convent, and the king
undertakes to pay the dowry required. Crespo is appointed
perpetual alcalde of Zalamea.

XIV. Calderón's indebtedness to Lope de Vega. — Such,
very briefly sketched, is the outline of Lope de Vega's play.
But brief as it is, it becomes at once apparent where Calderón
took his material. He saw the opportunity for dramatic
treatment presented by Lope's piece, and availed himself of
it as he saw fit. And this, too, without any purpose whatever
on his part of appropriating illegitimately what may in the
modern sense be considered another's literary property. He
adapted Lope's piece in order to have it express in his (Calderón's) own way pretty nearly what Lope had expressed in
his way. Were there more need of proving the intimate relationship between the two plays, Krenkel cites some twenty
passages in parallel columns taken from each play, in which
passages the phrasing, almost identical in the two citations

compared, admit of no reasonable doubt of their relationship. This is stated with no thought of laying Calderón open to the charge of plagiarism, an idea that never would have occurred to the poet himself or to any of his contemporaries. Calderón simply took, in the Shakespearian sense, his material where he found it and made it his own.

XV. Sources of Lope de Vega's Alcalde de Zalamea. — This leads up to the question, was the idea of Lope's play original? This may be briefly answered by saying that no model has been found upon which Lope drew as closely as Calderón did upon Lope's *Alcalde de Zalamea.* Lope, however, like Calderón, was very familiar with the Spanish and Italian literature of the period. Moreover, at least a half dozen of Lope's own plays are the subject of material a portion of which in sum and substance is none other than that treated in *El alcalde de Zalamea.* Among such plays may be mentioned *El villano en su rincón, El cuerdo en su casa, Los Tellos de Meneses, El mejor alcalde el Rey, Peribañez y el comendador de Ocaña,* and *Fuente Ovejuna.* This fact in itself tends to confirm the evidence in regard to the origin of Calderón's *Alcalde de Zalamea.* As regards the original sources upon which Lope himself drew, research has revealed the fact that one of the novels of the fifteenth century Italian writer Masuccio contains the ground work for Lope's *Alcalde de Zalamea.*

XVI. Masuccio's Novel. — Tommaso Guardato (Masuccio, 1420–1476), of Salerno, thirty-three miles southeast of Naples, wrote fifty stories in the Neapolitan dialect in the manner of those told by Boccaccio in his *Decamerone.* Like Boccaccio's tales, they were very popular, being reëdited several times and freely drawn upon as a supply source for the material of many a writer. The story upon which, it would appear, Lope drew, is the forty-seventh of the collection entitled: *Il novellino,* and may be seen in Luigi Settembrini's edition, Naples, 1874. In 1472, the Prince of Aragón was sent by his father, King John II (1456–1479), to take possession of Perpignan, then in the hands

of the French. Accompanied by his retinue, the young prince
got as far as Valladolid, where he was sumptuously entertained
at the house of one of the nobility. Two of the knights in the
prince's train fell desperately in love with the nobleman's two
daughters. By bribing the servant of the two damsels, the
knights gained entrance to the room where the young women
were asleep, violating all the laws of hospitality. The father
of the young girls complained of the conduct of the knights to
the prince who immediately investigated the matter. As a
result, the prince ordered the marriage ceremony to be performed between the knights and the nobleman's daughters.
Immediately after, at a state function largely attended, the
prince proclaimed publicly that his duty required him to carry
out justice to the very end, the sequel of which was that the
two knights were beheaded. The daughters were given in
marriage to wealthy noblemen, and besides richly endowed by
the prince.

XVII. Points of resemblance — points of difference. —
Such is the tale which appears fundamentally to furnish the
framework for Lope's play. The points of resemblance are
plain: a prince is on an expedition of conquest; on his way,
his troops halt in a town; the prince is entertained at the
house of one of the chief men in the place. This man has
two daughters; two of the knights in the prince's train fall
desperately in love with them; to obtain them they dastardly
violate all the rights of hospitality, obtaining access to the room
of the young women by bribing their servant; the father of
the damsels makes a formal complaint to the prince; the prince,
finding the charges true, obliges the officers to marry the young
women; and finally, that the ends of justice may be fulfilled,
has the criminally guilty officers decapitated. The points of
difference are that the events of Lope's play take place in the
sixteenth century, those in Masuccio's novel in the fifteenth;
instead of an expedition against the French, the expedition is
against the Portuguese; instead of a prince of Aragón in charge

of the troops, a king of Spain is substituted; instead of a nobleman who entertains, the principal burgher of the town, a *villano* is substituted; the daughters in Masuccio's story are the innocent victims of their seducers; in Lope's they elope voluntarily with them; the prince in Masuccio's tale metes out the punishment to the officers, while in Lope's it is the rich *villano* promoted to be alcalde; in Masuccio's novel the girls are afterwards married off to rich noblemen; in Lope's play they go to a convent.

XVIII. The name Pedro Crespo. — The name Pedro Crespo was a' very common name among the Spanish peasantry in the sixteenth century. It is possible that Lope may have had the celebrated romance of *Guzmán de Alfarache* of Mateo Alemán in mind, especially as one of the anecdotes therein related deals with a Pe(d)ro Crespo who was also alcalde, and judges a case successfully in favor of one in a station inferior to his adversary's. If the first part of Guzmán de Alfarache was published in 1599, as Ticknor states (III, 114 or 99), then supposing Lope to have taken the name Pedro Crespo from Mateo Alemán's romance, the *Alcalde de Zalamea* of Lope could not have been composed before that date. Inasmuch as it is extremely improbable that Lope would have put on the stage Philip II, who was so opposed to things theatrical, before the death of the monarch, what evidence can be obtained leads to the conclusion that Lope's *Alcalde de Zalamea* appeared after the death of Philip II (September 13, 1598).

XIX. A laudable trait in the character of Philip II. — Naturally, Lope was a master in the use of material, and did not use it slavishly. He saw the possibilities in Masuccio's tale and took advantage of them as he saw fit. Philip II possessed many magnanimous traits, and Lope turned his attention to exposing them to the public in a favorable light. It is of interest here to note that these magnanimous qualities of Philip have attracted little notice, because his intolerance and oppression have claimed from historians such a large share of attention. Nevertheless, such a spirit of fairness and justice as he is portrayed exercising in the plays of both Lope and Calderón in pronouncing the verdict of the alcalde as just and in recompensing him for it by making him alcalde for life was well known to the Spanish playwrights of the day. Gaspar de Ávila brings out these commendable traits in his *El valeroso Español de su casa* in the relations of Philip during his youth towards his father Charles V; as do also Diego Jiménez de Enciso in his *El príncipe Don Carlos*, and Juan Pérez de Montalván in his *El segundo Séneca de España, y príncipe Don Carlos*, and Lope de Vega again in his *El amigo hasta la muerte*.

XX. Soldier influence upon Calderón. — Why now should Calderón take up material so well handled by his predecessor and exercise his art upon it? Probably because he himself had had in his campaign in Aragón among soldiers experience like that of Lope in the Portuguese campaign. Whether the personnel among soldiers in the time of Philip II was worse than in that of Philip IV is by no means easy to say, because in both periods it appears to have been about as depraved and lawless as possible. It is precisely this spirit of lawlessness that Calderón depicts so effectively in his portrayal of the captain and his conduct. It needed to be exposed, it took courage in Spain in the seventeenth century to do it, but Calderón's position was such that it was possible for him to carry out his aim, and brand as it deserved a dastardly act.

XXI. The stage setting. — The entire setting of the play is admirably in conformity with the action leading up to the dénouement. The opening scene, depicting the approach of the soldiers to the little town of Zalamea, is particularly fine, and the remarks of the soldiers, of the swashbuckler Rebolledo, and of his fit companion, the vivacious canteen woman, la Chispa, introduce the spectator at once into that atmosphere of camp life with which both Lope and Calderón were so familiar.

XXII. Pedro Crespo. — Of the characters in the play having particular interest, Pedro Crespo, Mendo, and the captain,
have been lightly touched on (VII), as has Philip II (*passim*).
The sterling traits of the good old Spanish burgher are shown
to their best advantage by Calderón himself, especially in the
fine passage (II, 682–744) in which he gives advice to his son
Juan as the latter is about to start out on his soldier's career.

XXIII. Mendo. — The character of Mendo, unlike several
of the others of the play in that they are inspired by Lope,
is due largely to Calderón's own invention, although such
characters are not infrequently found in the literature of the
sixteenth and seventeenth centuries, notably in one of the plays
of the promoter of the early drama of European literature, Gil
Vicente, the Portuguese Plautus. In a farce (1505) written
in Portuguese entitled *Quem tem farelos?* (Who has bran?)
we have the prototype of Don Mendo in Don Aires Rosado,
a poverty stricken hidalgo, who is in love with a beautiful
Isabel from whom he receives the same kind of drastic treatment accorded to Don Mendo by Crespo's daughter. So, too,
in the famous picaresque novel (1553?), long ascribed to
Diego Hurtado de Mendoza, *La vida de Lazarillo de Tormes,
y de sus fortunas y adversidades*, we have again much the
same situation. And indeed the greatest of all Spanish
writers, Cervantes himself, has made the hero of his master-
piece to appear so grotesquely that Don Mendo is likened
by the sergeant unto that man whose adventures Miguel de
Cervantes described (I, 213–219). The *Alcalde de Zalamea*
is not the only one of Calderón's plays that satirizes this
ignoble type of the hidalgo, for we find the character dupli-
cated in his *Guárdate del agua mansa*. Nothing characterizes
more aptly this pitiable specimen of the genus homo than
his delineation of his own procreation (I, 267–274).

XXIV. The Captain. — To what has been said of the captain
who represents to what an extreme the ideas of military caste
can attain, nothing need be added other than to point out

that the passages (II, 75–100; 103–116) in which the captain tells the sergeant why it should be possible within a day to secure a woman's love are very beautiful of the kind, and the kind is thoroughly Calderonian.

XXV. Isabel and the *estilo culto*. — In the portrayal of the character of Pedro Crespo's daughter Isabel, Calderón is less successful than in those already commented on. Unfortunately, he yields to one of the literary fads of the period, the *estilo culto*, which, in the long passages (III, 107–280) in which Isabel relates to her father tied to a tree the captain's villainy, makes its inappropriateness particularly felt, because such effusions are absent elsewhere in the entire play. To be sure, there is a touch of Gongorism, the introduction of an absurd conceit into the long speech of Pedro Crespo (III, 405–517) in vv. 505–508, which mars an otherwise fine passage. But as compared with Calderón's best pieces, *La vida es sueño*, *El príncipe constante* (both probably between 1630 and 1634) and *El mágico prodigioso* (probably about 1637), this literary blight in the *Alcalde de Zalamea* is conspicuously absent. This fact in itself leads to the supposition that the piece was composed later than the three above mentioned pieces in which this undesirable artificial element is conspicuously present.

XXVI. Career of Don Lope de Figueroa. — There remains still one character especially in need of comment, the more so because so little in regard to him is to be found despite his brilliant military record. He gives zest to the entire play and is also historically of prime importance. Every time Don Lope de Figueroa y Barradas appears on the scene, immediately the spectator has the sensation that something worth witnessing is going to happen and without undue delay. Moreover, because of his military prestige and interesting personality, he seems to have been extremely popular with the Spanish play-going public. Born in Guadix, province of Granada, about 1520, he served in the armies of Charles I (V) and Philip II thirty-five years and in various parts of their

vast dominions. He began his military career in 1550 in
Lombardy, being quickly appointed a captain of cavalry;
accompanied the viceroy of Sicily in 1559 in an expedition
against the Moorish corsairs which resulted disastrously for
the Spaniards, who were defeated on the island of Gelves
(Gerbi, Zerbi, Gerbes), on the African coast west of Tripoli.
He was taken to Constantinople a prisoner, serving there as
a galley slave for three years until ransomed by his father for
four thousand ducats. He next took part in García de Toledo's
expedition to suppress an insurrection in Corsica and from
there went to capture Peñón Vélez de la Gomera, a pirate
stronghold off the coast of Africa, which was accomplished
September 6, 1564. He was captain of a company in Syracuse,
1565, and later took part against the Turks in the relief expedition to the island of Malta. We next find him in the
Netherlands in the battle of Jemmingen, July 21, 1568, and
later fighting against Duke William of Nassau in Brabant, so
successfully as to be especially recommended to King Philip
II by the Duke of Alba, in charge of suppressing the revolt.
He was presented with 2500 thalers, a yearly income of 400
ducats, and the command for life of the celebrated *tercio de
Flandes*.

XXVII. Relations with Don Juan, the victor of Lepanto. —
Don Lope then served in a great many engagements which
took place in the suppression of the Moorish rebellion in
southern Spain (1570), being one of Don Juan's most trusted
advisers. With the hero of the renowned battle of Lepanto,
September 15, 1571, he took a conspicuous part and was the
bearer of the news of the great victory to Philip II, who rewarded him generously, conferring upon him also the Cross of
the Order of Santiago. He later served under Don Juan in
Sicily and Africa in memorable campaigns against the Turks.
Don Juan had been appointed governor of the Netherlands in
1576, and at his urgent request Don Lope came to him with his
troops. Don Juan died in the Netherlands, October 1, 1578,

and Don Lope led the imposing military escort which accompanied the victor of Lepanto to his last resting place. After
serving at the siege of Maestricht (1579), capital of the province
of Limberg, in the Netherlands, under Prince Alessandro
Farnese, successor to Don Juan, he withdrew with his troops
to Italy, subject to orders from Hernando de Toledo. He
arrived in Spain later than did his troops, the half of whom he
led to Lisbon (cf. I, IV) for the conquest of Portugal in the
summer of 1581. He was then engaged in the expedition to
the Azores during 1581–1583, which had for its object to subject the islands to Spanish rule. His services were rewarded
by the king who bestowed upon him the rank of field marshal
and the office of *comendador de bastimento*. Don Lope finished
his long military career on the twenty-eighth of August, 1585,
while accompanying Philip II from Barcelona to Monzón
where he with many others was the victim of a kind of plague.

**XXVIII. Renown of Don Lope as seen in the literature of
the sixteenth century.** — That the adventures and extraordinary daring, as well as the magnanimity, of Don Lope de
Figueroa should become the theme of writers of stories and
plays is most natural and precisely what occurred in the popular Spanish literature of his century. Not only has Lope de
Vega celebrated Don Lope de Figueroa in his *Alcalde de Zalamea*, but also in another play, *El asalto de Mastrique por el
príncipe de Parma*, in which the time-honored field marshal
figures quite as prominently. And again Calderón does honor
to Don Lope in another play, *Amar después de la muerte*. A
younger contemporary of Lope de Vega and of Calderón,
Agustín Moreto y Cabaña (1618–1669), follows his distinguished
literary predecessors in presenting Don Lope to the spectators
of his tragedy, *La traición vengada*, and expresses his admira-
tion for him also in his drama, *La milagrosa elección de San Pío
Quinto*. One of the youngest of the writers contemporary
with Lope de Vega and Calderón, Juan Bautista Diamante,
born between 1630 and 1640, died after 1684, also brings Don

Lope to the fore in his play, *El defensor del Peñón*, and such instances are numerous in the literature of the period. The mere titles of these plays and the names of their authors vouch for the popularity of this seventeenth century hero whom his countrymen in this way loved to honor, and whose ills, eccentricities, and good disposition beneath a rough exterior both Lope and Calderón depict so well.

XXIX. Justice to all. — The climax and ending of the play are worthy of the high level maintained throughout. If the hand of Calderón, the litterateur and the soldier, has left its well-marked impress hitherto, the influence of the immaterial now becomes more sensibly felt, and in the closing lines we have the fine delicate impress of the hand of Calderón the priest, as Pedro Crespo replies to Don Lope by saying: "My daughter has already chosen a convent, and she has a Husband who does not make distinctions between plebeian and patrician."

XXX. Calderón's *Alcalde de Zalamea* an exceptional play. — It is frequently said of the plays of Calderón that although they typify Spanish nationality of the seventeenth century in its most concrete form, and contain just what is summed up in the expression *Dios, el Rey y mi dama*, they are not so universal as those of Lope, and that neither of the great poets attain the universality so commonly recognized in the plays of Shakespeare. There is probably truth in this rather general estimate. There are, however, in the plays of all these great poets some that are exceptions to the many. Such a play is Calderón's *Alcalde de Zalamea* in that the characters are so distinctive as easily to bring the tragedy under the head of a character play, while at the same time the theme itself, the "square deal" to all, that is, equality before the law, possesses a universality that is no less realistic and effective than are the characters that contribute to bring about the just result.

XXXI. Date of composition of the play. — As far as is known, the *Alcalde de Zalamea* was first printed in 1651 in the collection known as *El mejor de los mejores libros que han salido de comedias nuevas*. Owing to the continual war in the east with the Catalans in which Calderón himself served between 1640 and 1642, and at the same time in the west with the Portuguese, which resulted in the reëstablishment of the Portuguese monarchy under King John IV in 1640, it does not seem probable that the poet could have had the necessary leisure to compose the play before the end of 1642. Philip IV was deceived by his minister Olivares in regard to the actual loss of Portugal, and it was not for some years later that the Spanish people fully realized this event. That Calderón was too good a patriot to have written this play after the loss of Portugal was a foregone conclusion. The contrast between Philip II's victorious campaign and the loss by Philip IV, of all that had been gained, would have shocked rudely the sensibilities of all Spaniards. The play must have been composed in the early forties when the possibility of reconquering Portugal appeared to be in sight; at the latest in 1644.

XXXII. Calderón's texts. — The present text is that of Max Krenkel, vol. III, of the *Klassische Bühnendichtungen der Spanier*, Leipzig, Barth, 1887. Volume I contains Krenkel's edition of *La vida es sueño* and *El príncipe constante*, 1881; volume II the same editor's edition of *El mágico prodigioso*, 1885. *El alcalde de Zalamea* seems to have been one of the most popular of Calderón's plays, judging by the number of times it appears in various collections of the plays as well as separately and in translations. As far as has been possible to ascertain down to the present time, the play appeared printed first in the *Mejor* collection, Alcalá, 1651, Madrid, 1653, with the title *El garrote más bien dado;* then in the *Vera Tassis* edition, *El alcalde de Zalamea*, probably 1682, second edition in 1715; in the eleven volumes (in ten) Apontes edition, Madrid, 1760–1763, the *Alcalde de Zalamea* being in volume X and XI; this edition follows what Ticknor calls "a very bad reprint of the *Vera Tassis* edition"; it appeared in nine volumes in Ma-

drid (1723–1726); in the fourth volume of J. J. Keil's care-
fully prepared edition in four volumes, Leipzig, 1830; in the
third volume of the Hartzenbusch four volume edition, Madrid, 1848–1863, comprising volumes VII, IX, XII, and XIV of
the *Biblioteca de autores españoles* in the Rivadeneira edition.
A number of editions comprising selections of Calderón, such
as Ochoa, Paris, 1838 and 1863, C. Schuetz, Bielefeld, 1840
(both containing the *Alcalde de Zalamea*), have appeared from
time to time, as well as single editions of the play. The
Hartzenbusch edition in many ways easily outclassed all other
editions and the text is that generally followed by subsequent
editions, such as the Leipzig Brockhaus edition in three volumes, 1876–77 (the *Alcalde de Zalamea* is in volume II or in
tomo XXXVI of the set, *Teatro escogido*, etc.), the Menéndez
y Pelayo, Madrid edition, 1881, with a good introduction
(tomo II contains the *Alcalde de Zalamea*), the Garnier frères
four volume Paris edition, without date, the fifty centimes or
ten-cent *Biblioteca universal* edition, reprinted from time to
time (tomo XXIV contains the *Alcalde de Zalamea*), etc.

XXXIII. The Hartzenbusch and Krenkel texts. — Of Hartzenbusch's edition, Ticknor says (II, p. 419, Boston edition)
it "leaves nothing to be asked for, if we consider the state of
the materials of such a work as he found them, and not much
to be hoped from future researches." To be sure, Ticknor
wrote this estimate more than half a century ago. One has
only to read his account of how Calderón's publications appeared and the lawlessness to which they were subjected to
divine why scholars feel nonplussed at the thought of attempting to reëstablish something like an original text of Calderón's
plays. Nevertheless this is what Krenkel has endeavored to
do with the four above mentioned plays of Calderón. Practically all that scholarship, keen intelligence, and years of per-
sistent work can accomplish in the way of reëstablishing
approximately an original text, and at the same time throwing
light on the obscurities of every description which have per-

sistently beset the best intentioned efforts of commentators and translators, has been done both conscientiously and effectively. No serious teacher who contemplates editing any of Calderón's plays can afford to pass lightly over what Krenkel has done without losing what is most worth while. If the suggestion then be made: Why not use the Krenkel edition as a classroom text? The answer is, because, in the first place, of its unavailability. It is doubtful whether there be a dozen copies of the German edition at the present time (1918) in the United States. Moreover, of late, it has been an impossibility to import any German books whatever, and the importing of foreign texts even when the conditions make it possible is not infrequently found to be impractical and unsatisfactory. In the second place, the expense of such books for classroom use is prohibitive. Thirdly, a critical text of over four hundred large octavo pages in a foreign language is ill adapted to the wants and capacities of the majority of students in American colleges. Forceful as these reasons are, they should not be allowed to debar the American students from securing the main advantages of foreign texts.

XXXIV. Rarity of the Spanish classics for student use. — Undoubtedly the unavailability of the Spanish classics for classroom use has been hitherto one of the chief reasons for their neglect in the American colleges. Indeed since Francis Sales published his *Selección de Obras Maestras de Lope de Vega y Calderón de la Barca*, Boston, 1840, which did yeoman service until the plates were worn out, there has hardly appeared in all this period of nearly eighty years a half dozen texts for student use of the classic writers of Spain's golden age. The most serious problem of all in connection with the editing of a classic author is selecting the text. A conscientious editor refrains instinctively from tampering in any way with the text. Given, however, the unusually corrupt condition of Calderón's plays, something in the way of sensible reform had to be undertaken sympathetically and intelligently. This was the task Hartzenbusch set before him, and, all things considered, he did his work well. Moreover Hartzenbusch himself was peculiarly well fitted to perform the task. He was one of the most scholarly Spaniards of his day and a playwright of unusual versatility. It is hardly probable that any one at that time could have been found to perform what he did as intelligently and as sympathetically. In doing the work of editing the plays of Calderón, Hartzenbusch had his own viewpoint, which was quite as much that of the litterateur as that of the text restorer. He has certainly not gone back to the oldest readings if later texts suggested the possibility of an obviously better reading. Though his text of Calderón reads well, the impression is left that, together with Calderón, the text contains quite an element of Hartzenbusch. Such a text for popular consumption has proven satisfactory. Many a rough corner and awkward expression has assumed so natural a form as to read smoothly. Hartzenbusch could do this as no foreigner could, however keen his intelligence, because of his unusual skill in drama construction and his fine literary instinct. As Ticknor says, supplementing his statement above: "I need not add that the edition of Hartzenbusch is by far the best we have of Calderón's plays."

XXXV. Comparison of the Hartzenbusch and Krenkel texts. — It is said that there is a version of the plays of Shakespeare that surpasses the original. Extraordinary as that may be, we yet have to ask ourselves if in our desire to study the plays of Shakespeare, we are really aiming to get something better. If not, then we shall be quite satisfied to get what Shakespeare actually wrote or as near to it as research can make it possible. This analogy may serve to illustrate the viewpoints of Hartzenbusch and of Krenkel, the former harking forward to the standard of the modern reader, the latter harking back to the standard of Calderón's day. And yet the differences between the two texts are not very wide and marked, being confined almost entirely to spellings, punctuation, and to verbal changes.

A careful comparison of the two texts shows that both contain precisely the same number of verses: 894 in the first act, 893 in the second, and 980 in the third, total in the play 2767. There are, counting changes of every description, somewhat over 300, that is about 100 to each act or *jornada*. To show how relatively unimportant a large proportion of them are, for instance, the Hartzenbusch text has throughout *jornada primera, jornada segunda, jornada tercera*, while the Krenkel has *primera jornada, segunda jornada, tercera jornada*. Of course, "What did Calderón actually write?" is always an interesting question, but is apart from what is pointed out here and now. Then variations in spelling such as: *ah, de más, de espacio, o, ola, porqué* as compared with *ha, demás, despacio, oh, hola, por qué*. Such forms as *efecto, defecto, respecto, victor*, etc., are apt to be spelt without the *c* in the Krenkel edition: *efeto, defeto, respeto, vitor*, etc. Such relatively unimportant details recur again and again, making up a goodly proportion of the 300 text variations.

XXXVI. Concessions to modern usage. — Hartzenbusch has conformed to the modern usage of dividing the *jornadas* into scenes, whereas Krenkel preserves the old time continued narrative interrupted merely by "enter," "exit," "aside," and a stage direction. This is perfectly proper in a critical edition of the play. This propriety is not so manifest in a school edition, the object of which is to render the situations at all times perfectly clear without detracting in any way from the author's continuous narrative. Such a concession undoubtedly contributes materially to a clearer and quicker understanding of what is taking place and increases perceptibly the pleasure of the modern reader. For these reasons the divisions of scenes of Hartzenbusch have been adhered to in the present text. Krenkel thinks that Hartzenbusch gives too many stage directions. Upon examination, while this assertion may be true to a certain extent, on the whole the stage directions of Hartzenbusch are a distinct asset, serving at a glance to make the situation understood. We know at once, for instance, exactly where the action occurs (I, 464, II, 182, III, 298). Therefore the stage directions as given by Hartzenbusch have been preserved throughout. After III, 668, one has been inserted (*Viendo la vara*), as contributing to make known at once the situation. Moreover, in an edition intended primarily for students of Spanish rather than for those interested in text criticism, a further concession in favor of the modern system of accentuation has been made, and the latest rulings such as leaving the preposition *a* and the conjunction *o* unaccented have been adhered to.

XXXVII. The texts upon which Krenkel based his edition. — In all other respects, Krenkel's text has with one exception (I, 80, *Menos regla con el mes* has been changed, for the same reason that Hartzenbusch probably preferred what he gives *Mesa franca, con el mes*, on account of the ambiguity) been adhered to *in toto*. It is felt, by careful comparison with the various texts, to be as faithful an attempt to reproduce Calderón's original text as is possible, or as is at all likely to be attempted in the immediate future. Seeing it departs so little from the reading adopted by the majority of editions, which is that of Hartzenbusch, it seems worth while to give students the benefit of a text that more nearly than any other reproduces what Calderón actually wrote. The Krenkel text is based upon

A. The *Mejor* collection, Alcalá, 1651.

B. The *Vera Tassis* second edition, Madrid, 1715.

C. The *Keil* edition, Leipzig, 1830.

D. The *Hartzenbusch* third edition, Madrid, 1863.

Text A. — Text A of the *Mejor* collection, the earliest known printed edition, like all the Calderón texts of the period, might well come under the head of those for which Calderón himself disclaimed any responsibility, so full is it of all kinds of obvious negligence and error. Nevertheless as compared with the following texts, it does not have so much the appearance of being voluntarily altered for the purpose of suiting the editor's own ideas of literary propriety. For that reason it is particularly useful.

Text B. — Text B, the *Vera Tassis* edition, sometimes spoken of as being to Calderón what the first folio edition of his plays is to Shakespeare, is what a friend of the poet and a literary man of culture thought fitting to establish as the text. It appears from investigation that if Vera Tassis corrected many mistakes of earlier reprints, he nevertheless let a multitude go by, and in making corrections made a considerable number of other errors. Moreover, he seems to have been unfamilar to a certain extent with other language than that of polite society; so that when he attempts to establish the text of what soldiers, peasants, and others than the people in whose society he mingles, use, his efforts are anything but felicitous. In a word, his edition of the plays is quite a change from what Calderón actually wrote and from that standpoint is thoroughly unsatisfactory.

Text C. — Text C, the Keil edition, as compared with text D, that of Hartzenbusch, approaches more nearly Text A, the *Mejor* or first known printed edition, than does D, which approaches more nearly text B, that of *Vera Tassis*. Practically that constitutes nearly the entire difference between the Keil and the Hartzenbusch editions. Krenkel points out in the text of the *Alcalde de Zalamea* as constituted by Keil only two improvements over the texts A and B (II, 601 f. and III, 132), while a half dozen other changes made by Keil appear to Krenkel unnecessary.

Text D. — Text D, the Hartzenbusch edition, appears to Krenkel to have undergone the filing and polishing process of the reconstituter, who was first and foremost a keen litterateur and well versed in the kind of writing adapted to the text upon which he was operating. His heart's desire was naturally rather to make a good text than to reconstitute what in many cases was obviously poor or indifferent. Krenkel says many of his substitutions are thoroughly convincing, others plausible, but not a few unnecessary or arbitrary, and some absolutely incorrect, for all of which statements he cites conclusive proofs. Moreover, he says, that because Calderón himself would have undoubtedly acknowledged as improvements many of the substitutions of Vera Tassis or of Hartzenbusch, nevertheless that does not give a modern critic the right to inject into the text such improvements. On the contrary, he is in duty bound to stick fast to the best vouched for edition of the author's text whether that be pleasing or not, only making corrections when that text is obviously corrupt. But instead of doing so, Hartzenbusch has availed himself of the substitutions of his predecessors together with the help of his own rare intuition to make not a reconstruction of the original text, but an improvement upon it. In doing so, he has had to sacrifice the original text to euphony, rhythm, versification and word appropriateness. This is indeed absolutely true. One has but to compare such verses as the following, in which Krenkel follows what is apparently the nearest original text, that is text A, with the substitutions made by Hartzenbusch, in order to be convinced:

	Krenkel	*Hartzenbusch*
III, 846	*No le darán libertad.* (Unrhythmic)	*No han de darle libertad.*
III, 892	*Si está algo escrito demás.* (Order of words)	*Si está escrito algo de más.*
III, 906	*Ésta ejecutada está.* (Cacophony)	*Está ejecutada ya.*
III, 923	*Y ¿ qué importa errar lo menos,*	*Y ¿ Qué importa errar lo menos,*
924	*Quien acertó lo demás?* (Unrhythmic)	*Quien ha acertado lo más?*
III, 939	*Que no importa errar lo menos.*	*Que errar lo menos no importa*

Krenkel	Hartzenbusch

940 *Quien acertó lo demás.*   *Si acertó lo principal.*
        (Unrhythmic)
III, 956 *Un convento tiene ya*   *En un convento entrará;*
     957 *Eligido y tiene esposo.*   *Que ha elegido y tiene esposo.*
        (Clumsy)

Such cases as the above, and similar infelicities, are unfortunately quite frequent all through the 1651 edition of the *Alcalde de Zalamea* and point to haste and negligence on the part of the author when not due possibly to other causes as well. If we wish to read the *Alcalde de Zalamea* revised and improved, we have only to make use of the Hartzenbusch edition. If we wish to read, as nearly as possible, what Calderón composed himself, the strictest scientific investigation would indicate that this may best be done in the Krenkel edition.

XXXVIII. Translations of the play. — German. — The popularity of the *Alcalde de Zalamea* appears to be attested not only, as already mentioned, by its being reprinted in nearly all of the various collections of Calderón's plays published from time to time, but by being translated in a number of languages. Among such publications may be mentioned in German that of F. Zacharia, in the Linguet Collection, in Bd. 3: *Die bestrafte Entführung*, Braunschweig, 1770; F. L. Schröder: *Amtmann Graumann oder die Begebenheiten auf dem Marsch*, Hannover; reprinted, Mannheim, 1781; Stephanie des Jüngern: *Der Oberamtmann und die Soldaten*, in Bd. 6 of *Sämtliche Schauspiele*, pp. 109–213, Wien, 1771–87; also separately reprinted, Leipzig, 1795; August Schlegel und J. D. Greis: *Der Richter von Zalamea* in Bd. 2 of Calderón's *Ausgewählte Werke*, Stuttgart, 1882–83; there is an Introduction by Ad. Fr. von Schack. The same translation, one of the best that has appeared in German, will be found under the name of J. D. Greis in the *Universal Bibliothek* edition, P. Reclam, Jr., Leipzig, 1881, in no. 1425 of the series; Frd. G. Otto von der Malsburg: *Der Schultheiss von Zalamea*, in Bd. 5 of Calderón's *Schauspiele*, Leipzig, Brockhaus, 1819–25; F. Wehl: *Der Richter von Zalamea* in Zweiter Jahrgang, Heft 6 of *Deutschen Schaubühne*, Hamburg, 1861; Adolf Wilbrandt: *Der Richter von Zalamea*, Berlin, 1882.

There is also a text of the play for student use based upon the Hartzenbusch edition, with a few substitutions from Keil's edition, with footnotes in German, preface, short introduction to life of Calderón and to the play itself, by Dr. Adolf Kressner, Leipzig, 1887. For an estimate of its worth, the student is referred to pp. X and XI of the *Vorrede* to Krenkel's edition of the *Alcalde de Zalamea*.

French. — A translation, probably by Linguet, in a four volume edition of *Théâtre espagnol: Le viol puni, en Espagnol, l'Alcalde de Zalamea*, Paris, chez le Hansy, le jeune, 1770, in vol. 2, pp. 1–115; Collot d'Herbois: *Il y a bonne justice, ou le Paysan magistrat*, drame imité de l'Espagnol, Marseille, 1778, Paris, 1790; Faur: *Isabelle et Fernand, ou l'Alcalde de Zalamea*, Paris, chez Prault, also chez Brunet, Paris, 1784; J. d'Esménard: *L'Alcalde de Zalamea* in *Chefs-d'œuvre des théâtres étrangers*, etc., Paris, 1822, in tome XII, pp. 437–547; Damas Hinard *L'Alcalde de Zalamea*, in tome I, Paris, 1841–44; Antoine de Latour, Paris, 1871–73, second edition, 2 tomes, 1875, in tome I, pp. 361–434. This is one of the best works of the kind both as regards translation and as regards introductory matter.

Italian. — Pietro Andolfate: *L'alcalde de Zalamea*, in *Il teatro moderno applaudito*, Venice, 1796 *et seq.*, in tome 33, 1799; Giovanni la Cecilia: *L'alcalde de Zalamea*, Torino, 1857, in tome 3 of *Teatro scelto spagnuolo*, pp. 297–346.

Danish. — N. T. Bruun: *Bonden som Dommer. Skuespil i fem Acter*. Frit oversat efter Collot d'Herbois' Omarbeidelse af Calderone (*sic!*) de la Barcas spanske Original ved N. T. Bruun. Kjøbenhavn, 1807; A. Richter: *Udvalgte komedier af*

Don Pedro Calderón de la Barca, oversatte af A. R., Kjøbenhavn, 1880 ff., II. *Dommeren i Zalamea.* 1882.

English. — Edward Fitzgerald: *Six dramas, freely translated*, London, 1853; the fifth is *The Mayor of Zalamea.* The same will be found in (no. 5) *Eight dramas of Calderón freely translated*, London, Macmillan Co., 1906. The English reads well; the version, however, is rather an adaptation than a free translation of the original.

There is also in English an edition of the play in *Select plays of Calderón*, by Norman Maccoll, London, Macmillan, 1888. These plays are adapted for student use; the text is based upon that of Hartzenbusch, but the Alcalá (1651) edition and the Vera Tassis, Madrid (1715), editions have been consulted. Each play has an introduction and footnotes, all very helpful, indeed the only thing of the kind that has appeared in English, the indebtedness to which is here gratefully recognized and acknowledged.

XXXIX. Works dealing with the play. — Writings dealing with the play from a literary standpoint are the following: Louis de Viel-Castel: *Le théâtre espagnol. Revue des deux mondes*, tome 25. Quatrième série. Paris, 1841, pp. 399–409. This will be found translated into Spanish by Hartzenbusch in the fourth volume of his edition to Calderón's plays, pp. 688–691. Moreover in the Krenkel edition of the *Alcalde de Zalamea* will be found (pp. 283–367) Lope de Vega's *Alcalde de Zalamea* printed entire with Krenkel's annotations, text commentary, etc., precisely as in Calderón's play. There follows an *Anhang* or Appendix (pp. 369–388), entitled: *Auszug aus der Memoria leída en la Biblioteca Nacional, en la sesión celebrada el día 20 de enero de 1864*, por D. Juan Eugenio Hartzenbusch (p. 33–47). This is a comparison with extracts, between Lope's *Alcalde de Zalamea* and that of Calderón. Hartzenbusch's verdict is that Calderón's play is the superior and that it cannot be considered as coming under the head of what is understood in the modern sense by plagiarism. George

Henry Lewes: *The Spanish Drama: Lope de Vega and Cal-derón*, London, C. Knight and Co., 1846; (pp. 244–251); J. J. Putnam, *Studien over Calderón en zijne geschriften.* Utrecht, Beijkers, 1880 (pp. 77–144): *De Alcalde de Zalamea;* Angel Iasso de la Vega: *Calderón de la Barca. Estudio de las obras de este insigne poeta, consagrado a su memoria en el segundo centenario de su muerte.* Madrid, 1881 (pp. 114–123). E. J. Hassell: *Calderón*, Philadelphia, Lippincott (without date) [1879] (pp. 139–148).

XL. General works on Calderón and on Spanish literature. — More general works of reference bearing on Calderón and Spanish literature may be found in such well known old stand-ards as Fr. Bouterwek: *History of Spanish Literature,* translated from the German by Thomasina Ross (with additional notes by the translator), London, D. Bogue, 1847. Although Bouterwek is now looked upon as obsolete by many modern scholars, nevertheless the availability of the work over more modern treatises may make it well worth while consulting. S. Sismondi: *Historical View of the South of Europe.* Trans-lated from the original with notes and a life of the author by Thomas Roscoe, two volumes, fourth edition, London, 1853, (in Bohn's Standard Library). Cf. in regard to Bouterwek and Sismondi, Ticknor, in the sixth, 1891 (Houghton and Mifflin) Boston edition, vol. I, p. 36; Valentin Schmidt: *Die Schauspiele Calderón's dargestellt und erläutert.* Eberfeld, 1857. A work of marked excellence, as Ticknor points out (II, 359, note 26). Baist, Gottfried: *Die spanische Literatur,* in Max Gröber's *Grundriss der romanischen Philologie*, Bd. II, Abt. pp. 383–466, Strassburg, 1897; J. L. Klein: *Geschichte des spanischen Drama;* vols. 8–11; Leipzig, 1871–76. Klein and Schmidt are mentioned by Menéndez y Pelayo (*Estudios de crítica literaria*, Madrid, 1895, II, p. 128) as among the German critics who have shown appreciation of *El alcalde de Zalamea.* A. F. von Schack: *Geschichte der dramatischen Liter-atur und Kunst in Spanien:* 3 volumes., Berlin, 1845–46.

Also translated into Spanish, five volumes, Madrid, 1885–1887. See also the author's *Nachträge*, Frankfurt am Main, 1854. Von Schack's work on the drama is unsurpassed. Menéndez y Pelayo: *Calderón y su teatro*, Madrid, 1881; Ticknor, as mentioned above, under Sismondi; R. C. Trench: *Calderón: His Life and Genius*, New York, 1856, and 1880; J. Fitzmaurice-Kelly: *A History of Spanish Literature*, Appleton, New York, 1900. See p. 411 of this useful short manual of literature for a number of good references in connection with Calderón and his plays. *Idem: Historia de la literatura española*, 2° edición, Madrid, 1916. This is a translation into Spanish, or rather a Spanish edition, of the preceding work, revised and enlarged. The bibliography (pp. 456–553) is in itself very valuable, containing not only an extensive bibliographical list, well classified, but judicious commentary in regard to the books themselves. It is to be deplored that present conditions render the work to quite an extent unavailable to the majority of the student body in America. *Obras de Lope de Vega*, publicadas por la Real Academia Española, Sucesores de Rivadeneira, Madrid, 1901. Tomo XII of this edition, edited by Menéndez y Pelayo, besides the text of Lope's *Alcalde de Zalamea* (pp. 563–596), contains a well studied critical estimate of Lope's *Alcalde de Zalamea* with that of Calderón, including parallel passages from the two plays (pp. CLXIII–CLXXI of the *Observaciones preliminares*). *Nuova Antologia*, quinta serie, maggio-giugno, vol. CXXIII della raccolta CCVII, Roma, 1906, contains (pp. 83–98) an able delineation of the salient characteristics of Calderón's *Alcalde de Zalamea*, entitled: *Un capolavoro del teatro spagnuolo, L'Alcalde di Zalamea*, by Ugo Fleres. The rude shock, in the nature of the modern "shake-up," administered by Calderón to seventeenth century militarism, clericalism and monarchism, in a manner hitherto unprecedented in literature, is effectively brought out.

For the history of the period, Martin A. S. Hume's *Spain. 1479–1788*, Cambridge, England, 1905, and the same author's

The Spanish People, New York (Appleton), 1909, will be found useful.

Though the editor of the present text has drawn freely upon all the sources of information available in the above lists and desires gratefully to acknowledge his obligations, the edition as a whole is due largely to Krenkel, not only for the text, but for the introduction, notes, and text criticism. To Dr. Krenkel special acknowledgment for indebtedness is rightfully due and here rendered with pleasure.

XLI. The verse forms of the play. — The verse forms of the play are as follows:

Act I.   1–100 redondilla
          101–104 soldiers' song
          105–112 romance
          113–212 redondilla
          213–556 romance
          557–680 silva
          681–894 romance

Act II.   1–336 romance
          337–340 folk-song
          341–390 romance
          391–426 redondilla
          427–446 romance
          447–502 redondilla
          503–611 quintilla (the last quintilla 608 *et seq.* is
                  incomplete; 610–611 are folk-verses)
          612–893 romance

Act III. 1–348 romance
          349–404 redondilla
          405–518 romance
          519–838 redondilla
          839–980 romance

The kind of verse most pleasing to the Spanish ear is the octosyllabic, the prevailing meter of the popular *romances*, dealing with heroic or legendary material, and therefore called *romance*. The number of verses of this form of poetry is indefinite and ordinarily each verse counts eight syllables. The even lines, 2, 4, 6, 8, etc., have assonance (note 60), where the stress also falls, while the vowels and consonants of the odd lines are unlike in sound. The assonance is usually feminine, that is, one in which the two final syllables have the same vowel (a-e, I, 214 *et seq.*), but sometimes masculine, that is, one in which the final syllable only has the same vowel (o, I, 682 *et seq.*). It is not unusual to vary the assonance as much as possible in order to avoid monotony. This kind of verse occurs where the action and dialogue are dramatic, as in the passages just indicated, or expository as in III, 1–348, or may occur when a new character is introduced as in III, 839 *et seq.*

The *redondilla* is a form of rhymed verse, of seven or eight syllables, consisting of four verses in the order a-b-b-a, c-d-d-c, etc.; that is, the first verse rhyming with the fourth and the second with the third. It is used in lively and animated scenes, as in the opening verses of the play, and in 113–212; II, 391–426, etc.

The *quintilla* consists of five verses, of seven or eight syllables, which have two rhymes, three lines having one rhyme and two lines having another, but no three successive lines may rhyme together. The rhymes may be either masculine or feminine. The possible combinations are a-a-b-b-a, a-b-b-a-a, a-b-a-b-a, a-b-a-b-b, a-a-b-a-b, a-b-a-a-b. It is used in the play (II, 557–680) where considerable feeling and emotion rather than action occurs.

The *silva* consists of verses of seven and eleven syllables, usually alternating. Each verse is made to rhyme, the rhymes being feminine. The effect is somewhat that of improvisation. It is well adapted to the scene in which so much violent action occurs (I, 557–680).

For more explicit and detailed information in regard to the prolific subject of Spanish versification the student is referred

to Krenkel's edition of *La vida es sueño*, Leipzig, 1881 (pp.
282–288); A. Bello: *Ortología y métrica*, vol. V, of his *Obras
completas*, Santiago de Chile, 1884; F. Hanssen: *Notas a la
prosodia castellana*, Santiago de Chile, 1900 (in the *Anales de
la Universidad*); E. Stengel: *Romanische Verslehre*, in Gröber's
Grundriss der romanischen Philologie, vol. II, part I, Strassburg,
1893; G. Baist: *Spanische Literatur*, *ibidem*, vol. II, part II,
Strassburg, 1897; C. Cortejón: *Compendio de poética*, Madrid,
1881; E. Benot: *Prosodia castellana y versificación*, Madrid,
1892; Hills and Morley: *Modern Spanish Lyrics*, Introduction,
New York, 1913. Very good *Notes on Spanish Prosody* will
be found in Professor J. D. M. Ford's *Spanish Anthology*
(pp. xxi–xlvii), Boston, 1901, 1917, — a work possibly more
available than any of the above mentioned excepting that
of Hills and Morley.

J. G. Jr.

Boston University,
    January, 1918.

Calderon outspoken against war.

Study of the Capitán
1. Possibilities as a gentleman
2. Effect of war?

EL ALCALDE DE ZALAMEA

I Jornada

in Calderón {
Brilliant writings
Puns
Probers
Drifting from ordinary speech
Scientific, theological, philosophical
}

PERSONAS

EL REY FELIPE II.
DON LOPE DE FIGUEROA.
DON ÁLVARO DE ATAÍDE, capitán.
UN SARGENTO.
LA CHISPA.
REBOLLEDO, soldado.
PEDRO CRESPO, labrador, viejo.
JUAN, hijo de Pedro Crespo.
ISABEL, hija del mismo.
INÉS, prima de Isabel.
DON MENDO, hidalgo.
NUÑO, su criado.
UN ESCRIBANO.
Soldados. — Un tambor.
Labradores. — Acompañamiento.

La escena es en Zalamea y sus inmediaciones.

PRIMERA JORNADA

Campo cercano a Zalamea.

ESCENA PRIMERA

REBOLLEDO, CHISPA, SOLDADOS

REBOLLEDO.	¡Cuerpo de Cristo con quien	
	Desta suerte hace marchar	
	De un lugar a otro lugar	
	Sin dar un refresco!	
TODOS.	Amén.	
REBOLLEDO.	¿Somos gitanos aquí	5
	Para andar desta manera?	
	Una arrollada bandera	
	¿Nos ha de llevar tras sí,	
	Con una caja ...	
SOLDADO 1.º	¿Ya empiezas?	
REBOLLEDO.	Que este rato que calló,	10
	Nos hizo merced de no	
	Rompernos estas cabezas?	
SOLDADO 2.º	No muestres deso pesar,	
	Si ha de olvidarse, imagino,	
	El cansancio del camino	15
	A la entrada del lugar.	
REBOLLEDO.	¿A qué entrada, si voy muerto?	
	Y aunque llegue vivo allá,	

3

Sabe mi Dios si será
Para alojar; pues es cierto   20
Llegar luego al comisario
Los alcaldes a decir
Que si es que se pueden ir,
Que darán lo necesario.
Respónderles, lo primero,   25
Que es imposible, que viene
La gente muerta; y si tiene
El concejo algún dinero,
Decir: «Señores soldados,
Orden hay que no paremos: 30
Luego al instante marchemos.»
Y nosotros, muy menguados,
A obedecer al instante
Orden, que es, en caso tal,
Para él orden monacal,   35
Y para mí mendicante.
Pues ¡voto a Dios! que si llego
Esta tarde a Zalamea,
Y pasar de allí desea
Por diligencia o por ruego,   40
Que ha de ser sin mí la ida;
Pues no, con desembarazo,
Será el primer tornillazo
Que habré yo dado en mi vida.

SOLDADO 1.º   Tampoco será el primero   45
Que haya la vida costado
A un miserable soldado;
Y más hoy, si considero
Que es el cabo desta gente
Don Lope de Figueroa,   50

        Que si tiene tanta loa
        De animoso y de valiente,
        La tiene también de ser
        El hombre más desalmado,
        Jurador y renegado   55
        Del mundo, y que sabe hacer
        Justicia del más amigo,
        Sin fulminar el proceso.

REBOLLEDO.   ¿Ven vustedes todo eso?
        Pues yo haré lo que yo digo.   60
SOLDADO 2.° ¿De eso un soldado blasona?
REBOLLEDO.   Por mí muy poco me inquieta;
        Sino por esa pobreta,
        Que viene tras la persona.

CHISPA.   Seor Rebolledo, por mí   65
        Vuecé no se aflija, no;
        Que, como ya sabe, yo,
        Barbada el alma, nací;
        Y este temor me deshonra;
        Pues no vengo yo a servir   70
        Menos que para sufrir
        Trabajos con mucha honra.
        Que para estarme, en rigor,
        Regalada, no dejara
        En mi vida, cosa es clara,   75
        La casa del regidor,
        Donde todo sobra, pues
        Al mes mil regalos vienen;
        Que hay regidores que tienen
        Mesa franca con el mes.   80
        Y pues a venir aquí,
        A marchar y padecer

	Con Rebolledo, sin ser	
	Postema, me resolví;	
	Por mí ¿ en qué duda o repara?	85
REBOLLEDO.	¡Viven los cielos que eres	
	Corona de las mujeres!	
SOLDADO 2.º	Aquesa es verdad bien clara.	
	¡Viva la Chispa!	
REBOLLEDO.	¡ Reviva!	
	Y más si por divertir	90
	Esta fatiga de ir	
	Cuesta abajo y cuesta arriba,	
	Con su voz el aire inquieta	
	Una jácara o canción.	
CHISPA.	Responda a esa petición	95
	Citada la castañeta.	
REBOLLEDO.	Y yo ayudaré también.	
	Sentencien los camaradas,	
	Todas las partes citadas.	
SOLDADO 1.º	¡Vive Dios, que han dicho bien!	100
	(*Cantan Rebolledo y la Chispa.*)	
CHISPA.	*Yo soy titiri, titiri, tina,*	
	Flor de la jacarandina.	
REBOLLEDO.	*Yo soy titiri, titiri, taina,*	
	Flor de la jacarandaina.	
CHISPA.	*Vaya a la guerra el alférez,*	105
	Y embárquese el capitán.	
REBOLLEDO.	*Mate moros quien quisiere,*	
	Que a mí no me han hecho mal.	
CHISPA.	*Vaya y venga la tabla al horno,*	
	Y a mí no me falte pan.	110
REBOLLEDO.	*Huéspeda, máteme una gallina;*	
	Que el carnero me hace mal.	

SOLDADO 1.°   Aguarda; que ya me pesa
               (Que íbamos entretenidos
                En nuestros mismos oídos)   115
               Caballeros, de ver esa
               Torre, pues es necesario
               Que donde paremos sea.

REBOLLEDO.   ¿Es aquella Zalamea?

CHISPA.   Dígalo su campanario.   120
               No sienta tanto vussé,
               Que cese el cántico ya:
               Mil ocasiones habrá
               En que lograrle, porque
               Esto me divierte tanto,   125
               Que como de otras no ignoran
               Que a cada cosica lloran,
               Yo a cada cosica canto,
               Y oirá ucé jácaras ciento.

REBOLLEDO.   Hagamos aquí alto, pues   130
               Justo, hasta que venga, es,
               Con la orden el Sargento,
               Por si hemos de entrar marchando
               O en tropas.

SOLDADO 1.°   Él solo es quien
               Llega agora; mas también   135
               El Capitán esperando
               Está.

ESCENA II

EL CAPITÁN, EL SARGENTO. — DICHOS

CAPITÁN.   Señores soldados,
               Albricias puedo pedir:

De aquí no hemos de salir,
Y hemos de estar alojados   140
Hasta que Don Lope venga
Con la gente que quedó
En Llerena; que hoy llegó
Orden de que se prevenga
Toda, y no salga de aquí   145
A Guadalupe hasta que
Junto todo el tercio esté,
Y él vendrá luego; y así,
Del cansancio bien podrán
Descansar algunos días.   150

REBOLLEDO.   Albricias pedir podías.

TODOS.   ¡Vítor nuestro Capitán!

CAPITÁN.   Ya está hecho el alojamiento:
El comisario irá dando
Boletas, como llegando   155
Fueren.

CHISPA.   Hoy saber intento
Por qué dijo, voto a tal,
Aquella jacarandina:
«Huéspeda, máteme una gallina;
Que el carnero me hace mal.»   (*Vanse.*)   160

Calle.

ESCENA III

EL CAPITÁN, EL SARGENTO

CAPITÁN.   Señor Sargento, ¿ha guardado
Las boletas para mí,
Que me tocan?

SARGENTO.	Señor, sí.
CAPITÁN.	¿Y dónde estoy alojado?
SARGENTO.	En la casa de un villano,

Que el hombre más rico es
Del lugar, de quien después
He oído que es el más vano
Hombre del mundo, y que tiene
Más pompa y más presunción
Que un infante de León.

CAPITÁN. Bien a un villano conviene
Rico aquesa vanidad.

SARGENTO. Dicen que ésta es la mejor
Casa del lugar, señor;
Y si va a decir verdad,
Yo la escogí para ti,
No tanto porque lo sea,
Como porque en Zalamea
No hay tan bella mujer ...

CAPITÁN. Di.

SARGENTO. Como una hija suya.

CAPITÁN. Pues
Por muy hermosa y muy vana,
¿Será más que una villana
Con malas manos y pies?

SARGENTO. ¿Que haya en el mundo quien diga
Eso?

CAPITÁN. ¿Pues no, mentecato?

SARGENTO. ¿Hay más bien gastado rato
(A quien amor no le obliga,
Sino ociosidad no más)
Que el de una villana, y ver

Que no acierta a responder
A propósito jamás?

CAPITÁN   Cosa es que toda mi vida,
Ni aun de paso me agradó;
Porque en no mirando yo   195
Aseada y bien prendida
Una mujer, me parece
Que no es mujer para mí.

SARGENTO.   Pues para mí, señor, sí,
Cualquiera que se me ofrece.   200
Vamos allá; que por Dios,
Que me pienso entretener
Con ella.

CAPITÁN.   ¿Quieres saber
Cuál dice bien de los dos?
El que una belleza adora,   205
Dijo, viendo a la que amó:
«Aquella es mi dama» y no:
«Aquella es mi labradora.»
Luego si dama se llama
La que se ama, claro es ya   210
Que en una villana está
Vendido el nombre de dama.
Mas ¿qué ruido es ése?

SARGENTO.   Un hombre,
Que de un flaco rocinante
A la vuelta de esa esquina   215
Se apeó, y en rostro y talle
Parece a aquel Don Quijote,
De quien Miguel de Cervantes
Escribió las aventuras.

CAPITÁN.   ¡Qué figura tan notable!   220

SARGENTO.	Vamos, señor; que ya es hora.
CAPITÁN.	Lléveme el sargento antes
	A la posada la ropa,
	Y vuelva luego a avisarme. (*Vanse.*)

ESCENA IV

DON MENDO, NUÑO

DON MENDO.	¿Cómo va el rucio?	
NUÑO.	Rodado,	225
	Pues no puede menearse.	
DON MENDO.	¿Dijiste al lacayo, dí,	
	Que un rato le pasease?	
NUÑO.	¡Qué lindo pienso!	
DON MENDO.	No hay cosa	
	Que tanto a un bruto descanse.	230
NUÑO.	Aténgome a la cebada.	
DON MENDO.	¿Y que a los galgos no aten,	
	Dijiste?	
NUÑO.	Ellos se holgarán;	
	Mas no el carnicero.	
DON MENDO.	Baste;	
	Y pues han dado las tres,	235
	Cálzome palillo y guantes.	
NUÑO.	¿Si te prenden el palillo	
	Por palillo falso?	
DON MENDO.	Si alguien,	
	Que no he comido un faisán,	
	Dentro de sí imaginare,	240
	Que allá dentro de sí miente,	
	Aquí y en cualquiera parte	
	Le sustentaré.	

NUÑO.   ¿Mejor
          No sería sustentarme
          A mí, que al otro? que en fin   245
          Te sirvo.

DON MENDO.   ¡Qué necedades!
          — En efeto ¿que han entrado
          Soldados aquesta tarde
          En el pueblo?

NUÑO.   Sí, señor.

DON MENDO. Lástima da el villanaje   250
          Con los huéspedes que espera.

NUÑO.   Más lástima da y más grande
          Con los que no espera . . .

DON MENDO.   ¿Quién?

NUÑO.   La hidalguez; y no te espante;
          Que si no alojan, señor,   255
          En cas de hidalgos a nadie,
          ¿Por qué piensas que es?

DON MENDO.   ¿Por qué?

NUÑO.   Porque no se mueran de hambre.

DON MENDO. En buen descanso esté el alma
          De mi buen señor y padre,   260
          Pues en fin me dejó una
          Ejecutoria tan grande,
          Pintada de oro y azul,
          Exención de mi linaje.

NUÑO.   Tomáramos que dejara   265
          Un poco del oro aparte.

DON MENDO. Aunque si reparo en ello,
          Y si va a decir verdades,
          No tengo que agradecerle
          De que hidalgo me engendrase,   270

	Porque yo no me dejara
	Engendrar, aunque él porfiase,
	Si no fuera de un hidalgo,
	En el vientre de mi madre.
Nuño.	Fuera de saber difícil.
Don Mendo.	No fuera, sino muy fácil.
Nuño.	¿Como, señor?
Don Mendo.	Tú, en efeto,
	Filosofía no sabes,
	Y así ignoras los principios.
Nuño.	Sí, mi señor, y los antes
	Y postres, desde que cómo
	Contigo; y es, que al instante,
	Mesa divina es tu mesa,
	Sin medios, postres ni antes.
Don Mendo.	Yo no digo esos principios.
	Has de saber que el que nace,
	Sustancia es del alimento
	Que antes comieron sus padres.
Nuño.	¿Luego tus padres comieron?
	Esa maña no heredaste.
Don Mendo.	Esto después se convierte
	En su propia carne y sangre.
	Luego si hubiera comido
	El mío cebolla, al instante
	Me hubiera dado el olor,
	Y hubiera dicho yo: «Tate,
	Que no me está bien hacerme
	De excremento semejante.»
Nuño.	Ahora digo que es verdad ...
Don Mendo.	¿Qué?

Porque yo no me dejara
Engendrar, aunque él porfiase,
Si no fuera de un hidalgo,
En el vientre de mi madre.
Nuño. Fuera de saber difícil. 275
Don Mendo. No fuera, sino muy fácil.
Nuño. ¿Como, señor?
Don Mendo. Tú, en efeto,
Filosofía no sabes,
Y así ignoras los principios.
Nuño. Sí, mi señor, y los antes 280
Y postres, desde que cómo
Contigo; y es, que al instante,
Mesa divina es tu mesa,
Sin medios, postres ni antes.
Don Mendo. Yo no digo esos principios. 285
Has de saber que el que nace,
Sustancia es del alimento
Que antes comieron sus padres.
Nuño. ¿Luego tus padres comieron?
Esa maña no heredaste. 290
Don Mendo. Esto después se convierte
En su propia carne y sangre.
Luego si hubiera comido
El mío cebolla, al instante
Me hubiera dado el olor, 295
Y hubiera dicho yo: «Tate,
Que no me está bien hacerme
De excremento semejante.»
Nuño. Ahora digo que es verdad ...
Don Mendo. ¿Qué?

NUÑO.   Que adelgaza la hambre   300
Los ingenios.

DON MENDO.   Majadero,
¿Téngola yo?

NUÑO.   No te enfades;
Que si no la tienes, puedes
Tenerla, pues de la tarde
Son ya las tres, y no hay greda   305
Que mejor las manchas saque,
Que tu saliva y la mía.

DON MENDO. Pues ésa ¿es causa bastante
Para tener hambre yo?
Tengan hambre los gañanes;   310
Que no somos todos unos;
Que a un hidalgo no le hace
Falta el comer.

NUÑO.   ¡Oh, quién fuera
Hidalgo!

DON MENDO.   Y más no me hables
Desto, pues ya de Isabel   315
Vamos entrando en la calle.

NUÑO.   ¿Por qué, si de Isabel eres
Tan firme y rendido amante,
A su padre no la pides?
Pues con esto tú y su padre   320
Remediaréis de una vez
Entrambas necesidades:
Tú comerás, y él hará
Hidalgos sus nietos.

DON MENDO.   No hables
Más, Nuño, calla.   ¿Dineros   325
Tanto habían de postrarme,

	Que a un hombre llano por suegro	
	Había de admitir?	
NUÑO.	Pues antes	
	Pensé que ser hombre llano,	
	Para suegro, era importante;	330
	Pues de otros dicen, que son	
	Tropezones, en que caen	
	Los yernos. Y si no has	
	De casarte, ¿por qué haces	
	Tantos extremos de amor?	335

DON MENDO. ¿Pues no hay sin que yo me case,
Huelgas en Burgos, adonde
Llevarla, cuando me enfade?
Mira si acaso la ves.

NUÑO.   Temo, si acierta a mirarme   340
Pedro Crespo . . .

DON MENDO.   ¿Qué ha de hacerte,
Siendo mi criado, nadie?
Haz lo que manda tu amo.

NUÑO.   Sí haré, aunque no he de sentarme
Con él a la mesa.   345

DON MENDO.   Es propio
De los que sirven, refranes.

NUÑO.   Albricias, que con su prima
Inés a la reja sale.

DON MENDO   Dí que por el bello oriente,
Coronado de diamantes,   350
Hoy, repitiéndose el sol,
Amanece por la tarde.

ESCENA V

ISABEL E INÉS, *a una ventana.* — DICHOS

INÉS.   Asómate a esa ventana,
               Prima, así el cielo te guarde:
               Verás los soldados que entran   355
               En el lugar.

ISABEL.   No me mandes
               Que a la ventana me ponga,
               Estando este hombre en la calle,
               Inés, pues ya cuánto el verle
               En ella me ofende sabes.   360

INÉS.   En notable tema ha dado
               De servirte y festejarte.

ISABEL.   No soy más dichosa yo.

INÉS.   A mi parecer, mal haces
               De hacer sentimiento desto.   365

ISABEL.   ¿Pues qué había de hacer?

INÉS.   Donaire.

ISABEL.   ¿Donaire de los disgustos?

DON MENDO.   (*Llegando a la ventana.*)
               Hasta aqueste mismo instante,
               Jurara yo a fe de hidalgo
               (Que es juramento inviolable)   370
               Que no había amanecido;
               Mas, ¿qué mucho que lo extrañe,
               Hasta que a vuestras auroras
               Segundo día les sale?

ISABEL.   Ya os he dicho muchas veces,   375
               Señor Mendo, cuán en balde
               Gastáis finezas de amor,

	Locos extremos de amante	
	Haciendo todos los días	
	En mi casa y en mi calle.	380
DON MENDO.	Si las mujeres hermosas	
	Supieran cuánto las hacen	
	Más hermosas el enojo,	
	El rigor, desdén y ultraje,	
	En su vida gastarían	385
	Más afeite que enojarse.	
	Hermosa estáis, por mi vida,	
	Decid, decid más pesares.	
ISABEL.	Cuando no baste el decirlos,	
	Don Mendo, el hacerlos baste	390
	De aquesta manera. — Inés,	
	Éntrate acá dentro, y dale	
	Con la ventana en los ojos.	*(Vase.)*
INÉS.	Señor caballero andante,	
	Que de aventurero entráis	395
	Siempre en lides semejantes,	
	Porque de mantenedor	
	No era para vos tan fácil,	
	Amor os provea.	*(Vase.)*
DON MENDO.	Inés,	
	Las hermosuras se salen	400
	Con cuanto ellas quieren. — Nuño.	
NUÑO.	¡Oh qué desairados nacen	
	Todos los pobres !	

ESCENA VI

PEDRO CRESPO; *después*, JUAN CRESPO. — DICHOS

PEDRO CRESPO. (*Ap.*)   ¡Que nunca
     Entre y salga yo en mi calle,
     Que no vea a este hidalgote   405
     Pasearse en ella muy grave!

NUÑO. (*Ap. a su amo.*)
     Pedro Crespo viene aquí.
     Vamos por estotra parte;
     Que es villano malicioso.
         (*Sale Juan Crespo.*)

JUAN. (*Ap.*)   ¡Que siempre que venga, halle   410
     Este fantasma a mi puerta,
     Calzado de frente y guantes!

NUÑO. (*Ap. a su amo.*)
     Pero acá viene su hijo.

DON MENDO. No te turbes ni embaraces.

CRESPO. (*Ap.*) Mas Juanico viene aquí.   415

JUAN. (*Ap.*) Pero aquí viene mi padre.

DON MENDO. (*Ap. a Nuño.* Disimula.)   Pedro Crespo,
     Dios os guarde.

CRESPO.   Dios os guarde.
     (*Vanse Don Mendo y Nuño.*)

ESCENA VII

PEDRO *y* JUAN CRESPO

CRESPO (*Ap.*) El ha dado en porfiar,
     Y alguna vez he de darle   420
     De manera que le duela.

JUAN.   (*Ap.*) (Algún día he de enojarme.)
               ¿De adónde bueno, señor?
CRESPO.   De las eras; que esta tarde
               Salí a mirar la labranza,   425
               Y están las parvas notables
               De manojos y montones,
               Que parecen al mirarse
               Desde lejos montes de oro,
               Y aun oro de más quilates,   430
               Pues de los granos de aqueste
               Es todo el cielo el contraste.
               Allí el bielgo, hiriendo a soplos
               El viento en ellos süave,
               Deja en esta parte el grano,   435
               Y la paja en la otra parte;
               Que aun allí lo más humilde
               Da el lugar a lo más grave.
               ¡Oh, quiera Dios que en las trojes
               Yo llegue a encerrarlo, antes   440
               Que algún turbión me lo lleve,
               O algún viento me las tale!
               Tú, ¿qué has hecho?
JUAN.   No sé cómo
               Decirlo sin enojarte.
               A la pelota he jugado   445
               Dos partidos esta tarde,
               Y entrambos los he perdido.
CRESPO.   Haces bien, si los pagaste.
JUAN.   No los pagué; que no tuve
               Dineros para ello: antes   450
               Vengo a pedirte, señor . . .

CRESPO.	Pues escucha antes de hablarme.
	Dos cosas no has de hacer nunca:
	No ofrecer lo que no sabes
	Que has de cumplir, ni jugar 455
	Más de lo que está delante;
	Porque si por accidente
	Falta, tu opinión no falte.
JUAN.	El consejo es como tuyo;
	Y por tal debo estimarle, 460
	Y he de pagarte con otro.
	En tu vida no has de darle
	Consejo al que ha menester
	Dinero.
CRESPO.	Bien te vengaste. (*Vase.*)

Patio o portal de la casa de Pedro Crespo.

ESCENA VIII

CRESPO, JUAN, EL SARGENTO

SARGENTO.	¿Vive Pedro Crespo aquí? 465
CRESPO.	¿Hay algo que usté le mande?
SARGENTO	Traer a su casa la ropa
	De Don Álvaro de Ataíde,
	Que es el capitán de aquesta
	Compañía, que esta tarde 470
	Se ha alojado en Zalamea.
CRESPO.	No digáis más: eso baste;
	Que para servir a Dios,
	Y al Rey en sus capitanes,
	Están mi casa y mi hacienda. 475

Y en tanto que se le hace
El aposento, dejad
La ropa en aquella parte,
Y id a decirle que venga
Cuando su merced mandare   480
A que se sirva de todo.

SARGENTO.   El vendrá luego al instante.   (*Vase.*)

ESCENA IX

CRESPO, JUAN

JUAN.   ¿Qué quieras, siendo tú rico,
Vivir a estos hospedajes
Sujeto?

CRESPO.   Pues ¿cómo puedo   485
Excusarlos ni excusarme?

JUAN.   Comprando una ejecutoria.

CRESPO.   Dime por tu vida, ¿hay alguien
Que no sepa que yo soy,
Si bien de limpio linaje,   490
Hombre llano? No por cierto:
Pues ¿qué gano yo en comprarle
Una ejecutoria al Rey,
Si no le compro la sangre?
¿Dirán entonces que soy   495
Mejor que ahora? No, es dislate.
Pues ¿qué dirán? Que soy noble
Por cinco o seis mil reales.
Y esto es dinero, y no es honra;
Que honra no la compra nadie,   500
¿Quieres, aunque sea trivial,

Un ejemplillo escucharme?
Es calvo un hombre mil años,
Y al cabo dellos se hace
Una cabellera.   Éste,   505
En opiniones vulgares,
¿Deja de ser calvo?   No,
Pues ¿qué dicen al mirarle?
«¡Bien puesta la cabellera
Trae Fulano!» Pues ¿qué hace,   510
Si aunque no le vean la calva,
Todos que la tiene saben?

JUAN.   Enmendar su vejación,
Remediarse de su parte,
Y redimir las molestias   515
Del sol, del hielo y del aire.

CRESPO.   Yo no quiero honor postizo,
Que el defeto ha de dejarme
En casa.   Villanos fueron
Mis abuelos y mis padres;   520
Sean villanos mis hijos.
Llama a tu hermana.

JUAN.   Ella sale.

ESCENA X

ISABEL, INÉS. — CRESPO, JUAN

CRESPO.   Hija, el Rey nuestro señor,
Que el cielo mil años guarde,
Va a Lisboa, porque en ella   525
Solicita coronarse
Como legítimo dueño:
A cuyo efeto marciales

Tropas caminan con tantos
Aparatos militares   530
Hasta bajar a Castilla
El tercio viejo de Flandes
Con un Don Lope, que dicen
Todos que es español Marte.
Hoy han de venir a casa   535
Soldados, y es importante
Que no te vean; así, hija,
Al punto has de retirarte
En esos desvanes, donde
Yo vivía.

ISABEL.   A suplicarte   540
Me dieses esa licencia
Venía yo; sé que el estarme
Aquí, es estar solamente
A escuchar mil necedades.
Mi prima y yo en ese cuarto   545
Estaremos, sin que nadie,
Ni aun el sol mismo, no sepa
De nosotras.

CRESPO.   Dios os guarde.
Juanico, quédate aquí,
Recibe a huéspedes tales,   550
Mientras busco en el lugar
Algo con que regalarles.   (*Vase.*)

ISABEL.   Vamos, Inés.

INÉS.   Vamos, prima;
Mas tengo por disparate
El guardar a una mujer,   555
Si ella no quiere guardarse.
       (*Vanse Isabel e Inés.*)

ESCENA XI

El Capitán, el Sargento. — Juan

Sargento.	Ésta es, señor, la casa.
Capitán.	Pues del cuerpo de guardia al punto pasa
	Toda mi ropa.
Sargento (*Ap. al capitán.*)	Quiero
	Registrar la villana lo primero. (*Vase.*) 560
Juan.	Vos seáis bien venido
	A aquesta casa; que ventura ha sido
	Grande venir a ella un caballero
	Tan noble como en vos le considero.
	(*Ap.* ¡Qué galán y alentado ! 565
	Envidia tengo al traje de soldado.)
Capitán.	Vos seáis bien hallado.
Juan.	Perdonaréis no estar acomodado;
	Que mi padre quisiera
	Que hoy un alcázar esta casa fuera. 570
	El ha ido a buscaros
	Que comáis; que desea regalaros,
	Y yo voy a que esté vuestro aposento
	Aderezado.
Capitán.	Agradecer intento
	La merced y el cuidado. 575
Juan.	Estaré siempre a vuestros pies postrado.
	(*Vase.*)

ESCENA XII

EL SARGENTO. — EL CAPITÁN

CAPITÁN.   ¿Qué hay, Sargento?   ¿Has ya visto
                A la tal labradora?
SARGENTO.   Vive Cristo,
                Que con aquese intento
                No he dejado cocina ni aposento,   580
                Y que no la he topado.
CAPITÁN.   Sin duda el villanchón la ha retirado.
SARGENTO.   Pregunté a una criada
                Por ella, y respondióme que ocupada
                Su padre la tenía   585
                En ese cuarto alto, y que no había
                De bajar nunca acá; que es muy celoso.
CAPITÁN.   ¿Qué villano no ha sido malicioso?
                De mí digo, que si hoy aquí la viera,
                Della caso no hiciera;   590
                Y sólo porque el viejo la ha guardado,
                Deseo, vive Dios, de entrar me ha dado
                Donde está.
SARGENTO.   Pues ¿qué haremos
                Para que allá, señor, con causa entremos,
                Sin dar sospecha alguna?   595
CAPITÁN.   Sólo por tema la he de ver, y una
                Industria he de buscar.
SARGENTO.   Aunque no sea
                De mucho ingenio, para quien la vea
                Hoy, no importará nada;
                Que con eso será más celebrada.   600
CAPITÁN.   Óyela, pues, agora.

SARGENTO.   Di, ¿qué ha sido?
CAPITÁN.   Tú has de fingir ... — Mas no; pues que
                ha venido
                    (*Viendo venir a Rebolledo.*)
                Este soldado, que es más despejado,
                Él fingirá mejor lo que he trazado.

                    ESCENA XIII

            REBOLLEDO, LA CHISPA. — DICHOS

REBOLLEDO. (*A la Chispa.*)
                Con este intento vengo   605
                A hablar al Capitán, por ver si tengo
                Dicha en algo.
CHISPA.   Pues háblale de modo
                Que le obligues; que en fin no ha de ser todo
                Desatino y locura.
REBOLLEDO.   Préstame un poco tú de tu cordura.   610
CHISPA.   Poco y mucho pudiera.
REBOLLEDO.   Mientras hablo con él, aquí me espera.
                    (*Adelántase.*)
                — Yo vengo a suplicarte ...
CAPITÁN.   En cuanto puedo
                Ayudaré, por Dios, a Rebolledo,
                Porque me ha aficionado   615
                Su despejo y su brío.
SARGENTO.   Es gran soldado.
CAPITÁN.   Pues ¿qué hay que se le ofrezca?
REBOLLEDO.   Yo he perdido
                Cuanto dinero tengo y he tenido
                Y he de tener, porque de pobre juro
                En presente, en pretérito y futuro.   620

Hágaseme merced de que, por vía
De ayudilla de costa, aqueste día
El alférez me dé ...

CAPITÁN.   Diga: ¿qué intenta?
REBOLLEDO.   El juego del boliche por mi cuenta;
Que soy hombre cargado   625
De obligaciones, y hombre al fin honrado.
CAPITÁN.   Digo que eso es muy justo,
Y el alférez sabrá que éste es mi gusto.
CHISPA. (*Ap.*) Bien le habla el Capitán.   ¡Oh si me viera
Llamar de todos ya la Bolichera!   630
REBOLLEDO.   Daréle ese recado.
CAPITÁN.   Oye, primero
Que le lleves.   De ti fiarme quiero
Para cierta invención que he imaginado,
Con que salir intento de un cuidado.
REBOLLEDO.   Pues ¿qué es lo que se aguarda?   635
Lo que tarda en saberse, es lo que tarda
En hacerse.
CAPITÁN.   Escúchame.   Yo intento
Subir a ese aposento
Por ver si en él una persona habita,
Que de mí hoy esconderse solicita.   640
REBOLLEDO.   Pues ¿por qué no le subes?
CAPITÁN.   No quisiera
Sin que alguna color para esto hubiera,
Por disculparlo más; y así, fingiendo
Que yo riño contigo, has de irte huyendo
Por ahí arriba.   Entonces yo enojado,   645
La espada sacaré: tú, muy turbado,
Has de entrarte hasta donde
Esta persona que busco se esconde.

REBOLLEDO.   Bien informado quedo.

CHISPA. (*Ap.*) Pues habla el Capitán con Rebolledo   650
Hoy de aquella manera,
Desde hoy me llamarán la Bolichera.

REBOLLEDO. (*Alzando la voz.*)
¡Voto a Dios, que han tenido
Este ayuda de costa que he pedido,
Un ladrón, un gallina y un cuitado!   655
Y agora que la pide un hombre honrado,
¡No se la dan!

CHISPA. (*Ap.*)   Ya empieza su tronera.

CAPITÁN.   Pues ¿cómo me habla a mí de esa manera?

REBOLLEDO.   ¿No tengo de enojarme,
Cuando tengo razón?

CAPITÁN.   No, ni ha de hablarme; 660
Y agradezca que sufro aqueste exceso.

REBOLLEDO.   Ucé es mi capitán: sólo por eso
Callaré; mas por Dios, que si tuviera
La bengala en mi mano...

CAPITÁN. (*Echando mano a la espada.*)   ¿Qué me hiciera?

CHISPA.   Tente, señor. (*Ap.* Su muerte considero.)   665

REBOLLEDO.   Que me hablara mejor.

CAPITÁN.   ¿Qué es lo que espero,
Que no doy muerte a un pícaro atrevido?
(*Desenvaina.*)

REBOLLEDO.   Huyo, por el respeto que he tenido
A esa insignia.

CAPITÁN.   Aunque huyas,
Te he de matar.

CHISPA.   Ya él hizo de las suyas.   670

SARGENTO.   Tente, señor.

CHISPA.   Escucha.

SARGENTO.	Aguarda, espera.
CHISPA.	Ya no me llamarán la Bolichera.

(*Vase el Capitán huyendo tras Rebolledo;
el Sargento tras el Capitán: sale Juan
con espada y después su padre.*)

ESCENA XIV

JUAN, CRESPO. — LA CHISPA

CHISPA.	Acudid todos presto.	
CRESPO.	¿Qué ha sucedido aquí?	
JUAN.	¿Qué ha sido aquesto?	
CHISPA.	Que la espada ha sacado	675
	El Capitán aquí para un soldado,	
	Y, esa escalera arriba,	
	Sube tras él.	
CRESPO.	¿Hay suerte más esquiva?	
CHISPA.	Subid todos tras él.	
JUAN. (*Ap.*)	Acción fué vana	
	Esconder a mi prima y a mi hermana.	680

(*Vanse.*)

Cuarto alto en la misma casa.

ESCENA XV

REBOLLEDO, *que huye y se encuentra con* ISABEL *e* INÉS; *después,* EL CAPITÁN *y* EL SARGENTO

REBOLLEDO.	Señoras, si siempre ha sido
	Sagrado el que es templo, hoy
	Sea mi sagrado aqueste,
	Pues es templo del amor.

ISABEL.   ¿Quién a huir de esa manera   685
Os obliga?

INÉS.   ¿Qué ocasión
Tenéis de entrar hasta aquí?

ISABEL.   ¿Quién os sigue o busca?
                     (*Salen el Capitán y el Sargento.*)

CAPITÁN.   Yo,
Que tengo de dar la muerte
Al pícaro ¡vive Dios!   690
Si pensase . . .

ISABEL.   Deteneos,
Siquiera, porque, señor,
Vino a valerse de mí;
Que los hombres como vos
Han de amparar las mujeres,   695
Si no por lo que ellas son,
Porque son mujeres; que esto
Basta, siendo vos quien sois.

CAPITÁN.   No pudiera otro sagrado
Librarle de mi furor,   700
Sino vuestra gran belleza:
Por ella vida le doy.
Pero mirad que no es bien
En tan precisa ocasión
Hacer vos el homicidio   705
Que no queréis que haga yo.

ISABEL.   Caballero, si cortés
Ponéis en obligación
Nuestras vidas, no zozobre
Tan presto la intercesión: 710
Que dejéis este soldado
Os suplico; pero no

Que cobréis de mí la deuda
A que agradecida estoy.

CAPITÁN.   No sólo vuestra hermosura   715
Es de rara perfección;
Pero vuestro entendimiento
Lo es también, porque hoy en vos
Alïanza están jurando
Hermosura y discreción.   720

ESCENA XVI

CRESPO y JUAN, *con espadas desnudas;*
LA CHISPA. — DICHOS

CRESPO.   ¿Cómo es ello, caballero?
¿Cuándo pensó mi temor
Hallaros matando un hombre,
Os hallo . . .

ISABEL.   (*Ap.*) ¡Válgame Dios!

CRESPO.   Requebrando una mujer?   725
Muy noble, sin duda, sois,
Pues que tan presto se os pasan
Los enojos.

CAPITÁN.   Quien nació
Con obligaciones, debe
Acudir a ellas, y yo   730
Al respeto desta dama
Suspendí todo el furor.

CRESPO.   Isabel es hija mía,
Y es labradora, señor,
Que no dama.

JUAN.   (*Ap.* ¡Vive el cielo,   735
Que todo ha sido invención
Para haber entrado aquí!
Corrido en el alma estoy
De que piensen que me engañan,
Y no ha de ser.)   Bien, señor   740
Capitán, pudierais ver
Con más segura atención
Lo que mi padre desea
Hoy serviros, para no
Haberle hecho este disgusto.   745

CRESPO.   ¿Quién os mete en eso a vos,
Rapaz?   ¿Qué disgusto ha habido?
Si el soldado le enojó,
¿No había de ir tras él?   Mi hija
Estima mucho el favor   750
Del haberle perdonado,
Y el de su respeto yo.

CAPITÁN.   Claro está que no habrá sido
Otra causa, y ved mejor
Lo que decís.

JUAN.   Yo lo veo   755
Muy bien.

CRESPO.   Pues ¿cómo habláis vos
Así?

CAPITÁN.   Porque estáis delante,
Más castigo no le doy
A este rapaz.

CRESPO.   Detened,
Señor Capitán; que yo   760
Puedo tratar a mi hijo
Como quisiere, y vos no.

JUAN.	Y yo sufrirlo a mi padre,
	Mas a otra persona no.
CAPITÁN.	¿Qué habíais de hacer?
JUAN.	Perder 765
	La vida por la opinión.
CAPITÁN.	¿Qué opinión tiene un villano?
JUAN.	Aquella misma que vos;
	Que no hubiera un capitán,
	Si no hubiera un labrador. 770
CAPITÁN.	¡Vive Dios, que ya es bajeza
	Sufrirlo!
CRESPO.	Ved que yo estoy
	De por medio.
	(*Sacan las espadas.*)
REBOLLEDO.	¡Vive Cristo,
	Chispa, que ha de haber hurgón!
CHISPA. (*Voceando.*)	
	¡Aquí del cuerpo de guardia! 775
REBOLLEDO.	¡Don Lope! (*Ap.* Ojo avizor.)

ESCENA XVII

DON LOPE, *con hábito muy galán y bengala;*
SOLDADOS, UN TAMBOR. — DICHOS

DON LOPE.	¿Qué es aquesto? La primera
	Cosa que he de encontrar hoy,
	Acabado de llegar,
	¿Ha de ser una cuestión? 780
CAPITÁN. (*Ap.*)	¡A qué mal tiempo Don Lope
	De Figueroa llegó!
CRESPO. (*Ap.*)	Por Dios que se las tenía
	Con todos el rapagón.

Don Lope.	¿Qué ha habido? ¿Qué ha sucedido?	785
	Hablad, porque ¡ voto a Dios,	
	Que a hombres, mujeres y casa	
	Eche por un corredor!	
	¿No me basta haber subido	
	Hasta aquí, con el dolor	790
	Desta pierna, que los diablos	
	Llevaran, amén, sino	
	No decirme: « Aquesto ha sido? »	
Crespo.	Todo esto es nada, señor.	
Don Lope.	Hablad, decid la verdad.	795
Capitán.	Pues es que alojado estoy	
	En esta casa: un soldado ...	
Don Lope.	Decid.	
Capitán.	Ocasión me dió	
	A que sacase con él	
	La espada. Hasta aquí se entró	800
	Huyendo; entréme tras él	
	Donde estaban esas dos	
	Labradoras; y su padre	
	Y su hermano, o lo que son,	
	Se han disgustado de que	805
	Entrase hasta aquí.	
Don Lope.	Pues yo	
	A tan buen tiempo he llegado,	
	Satisfaré a todos hoy.	
	¿Quién fué el soldado, decid,	
	Que a su capitán le dió	810
	Ocasión de que sacase	
	La espada?	
Rebolledo. (Ap.)	¿Que pago yo	
	Por todos?	

ISABEL.   Aquéste fué
                   El que huyendo hasta aquí entró.
DON LOPE.   Denle dos tratos de cuerda.   815
REBOLLEDO.   ¿Tra-qué me han de dar, señor?
DON LOPE.   Tratos de cuerda.
REBOLLEDO.   Yo hombre
                   De aquesos tratos no soy.
CHISPA. (*Ap.*) Desta vez me lo estropean.
CAPITÁN. (*Ap. a él.*)
                   ¡Ha, Rebolledo! por Dios,   820
                   Que nada digas: yo haré
                   Que te libren.
REBOLLEDO.   (*Ap. al Capitán.* ¿Cómo no
                   Lo he de decir, pues si callo,
                   Los brazos me pondrán hoy
                   Atrás como mal soldado?)   825
                   El Capitán me mandó
                   Que fingiese la pendencia,
                   Para tener ocasión
                   De entrar aquí.
CRESPO.   Ved agora
                   Si hemos tenido razón.   830
DON LOPE   No tuvisteis para haber
                   Así puesto en ocasión
                   De perderse este lugar. —
                   Hola, echa un bando, tambor,
                   Que al cuerpo de guardia vayan   835
                   Los soldados cuantos son,
                   Y que no salga ninguno,
                   Pena de muerte, en todo hoy. —
                   Y para que no quedéis
                   Con aqueste empeño vos,   840

Y vos con este disgusto,
Y satisfechos los dos,
Buscad otro alojamiento;
Que yo en esta casa estoy
Desde hoy alojado, en tanto   845
Que a Guadalupe no voy,
Donde está el Rey.

CAPITÁN.   Tus preceptos
Órdenes precisas son
Para mí.

(Vanse el Capitán, los soldados y la Chispa.)

CRESPO.   Entraos allá dentro.

(Vanse Isabel, Inés y Juan.)

ESCENA XVIII

CRESPO, DON LOPE

CRESPO.   Mil gracias, señor, os doy   850
Por la merced que me hicisteis
De excusarme una ocasión
De perderme.

DON LOPE.   ¿Cómo habíais,
Decid, de perderos vos?

CRESPO.   Dando muerte a quien pensara   855
Ni aun el agravio menor ...

DON LOPE.   ¿Sabéis, voto a Dios, que es
Capitán?

CRESPO.   Sí, voto a Dios;
Y aunque fuera el general,
En tocando a mi opinión,   860
Le matara.

DON LOPE.   A quien tocara,
                    Ni aun al soldado menor,
                    Sólo un pelo de la ropa,
                    Por vida del cielo, yo
                    Le ahorcara.

CRESPO.   A quien se atreviera   865
                    A un átomo de mi honor,
                    Por vida también del cielo,
                    Que también le ahorcara yo.

DON LOPE.   ¿Sabéis que estáis obligado
                    A sufrir, por ser quien sois,   870
                    Estas cargas?

CRESPO.   Con mi hacienda;
                    Pero con mi fama no.
                    Al Rey la hacienda y la vida
                    Se ha de dar; pero el honor
                    Es patrimonio del alma,   875
                    Y el alma sólo es de Dios.

DON LOPE.   ¡Juro a Cristo, que parece
                    Que vais teniendo razón!

CRESPO.   Sí, juro a Cristo, porque
                    Siempre la he tenido yo.   880

DON LOPE.   Yo vengo cansado, y esta
                    Pierna que el diablo me dió,
                    Ha menester descansar.

CRESPO.   Pues ¿quién os dice que no?
                    Ahí me dió el diablo una cama,   885
                    Y servirá para vos.

DON LOPE.   ¿Y dióla hecha el diablo?

CRESPO.   Sí.

DON LOPE.   Pues a deshacerla voy;
                    Que estoy, voto a Dios, cansado.

CRESPO.   Pues descansad, voto a Dios.   890
DON LOPE. (*Ap.*)
                 Testarudo es el villano;
                 Tan bien jura como yo.
CRESPO. (*Ap.*) Caprichudo es el Don Lope:
                 No haremos migas los dos.

SEGUNDA JORNADA

Calle

ESCENA PRIMERA

Don Mendo, Nuño

Don Mendo.	¿Quién os contó todo eso?
Nuño.	Todo esto contó Ginesa,
	Su criada.
Don Mendo.	¿El Capitán,
	Después de aquella pendencia
	Que en su casa tuvo (fuese 5
	Ya verdad o ya cautela)
	Ha dado en enamorar
	A Isabel?
Nuño.	Y es de manera,
	Que tan poco humo en su casa
	Él hace como en la nuestra 10
	Nosotros. El todo el día
	No se quita de su puerta;
	No hay hora que no la envíe
	Recados: con ellos entra
	Y sale un mal soldadillo, 15
	Confidente suyo.
Don Mendo.	Cesa;
	Que es mucho veneno, mucho,
	Para que el alma lo beba
	De una vez.

NUÑO.   Y más no habiendo
             En el estómago fuerzas   20
             Con que resistirle.
DON MENDO.   Hablemos
             Un rato, Nuño, de veras.
NUÑO.   ¡Pluguiera a Dios fueran burlas!
DON MENDO.   ¿Y qué le responde ella?
NUÑO.   Lo que a ti, porque Isabel   25
             Es deidad hermosa y bella,
             A cuyo cielo no empañan
             Los vapores de la tierra.
DON MENDO.   ¡Buenas nuevas te dé Dios!
             (*Al hacer la exclamación, da una manotada
             a Nuño en el rostro.*)
NUÑO.   A ti te dé mal de muelas;   30
             Que me has quebrado dos dientes.
             Mas bien has hecho, si intentas
             Reformarlos, por familia
             Que no sirve ni aprovecha. —
             El Capitán.
DON MENDO.   ¡Vive Dios,   35
             Si por el honor no fuera
             De Isabel, que lo matara!
NUÑO. (*Ap.*) Más será por tu cabeza.
DON MENDO.   Escucharé retirado. —
             Aquí a esta parte te llega.   40

ESCENA II

EL CAPITÁN, EL SARGENTO, REBOLLEDO. — DON
MENDO y NUÑO, *retirados*

CAPITÁN.	Este fuego, esta pasión,
	No es amor solo, que es tema,
	Es ira, es rabia, es furor.
REBOLLEDO.	¡Oh! nunca, señor, hubieras
	Visto a la hermosa villana 45
	Que tantas ansias te cuesta!
CAPITÁN.	¿Qué te dijo la criada?
REBOLLEDO.	¿Ya no sabes sus respuestas?
DON MENDO.	(*Ap. a Nuño.*)
	Esto ha de ser. Pues ya tiende
	La noche sus sombras negras, 50
	Antes que se haya resuelto
	A lo mejor mi prudencia,
	Ven a armarme.
NUÑO.	Pues ¿qué tienes
	Más armas, señor, que aquellas
	Que están en un azulejo 55
	Sobre el marco de la puerta?
DON MENDO.	En mi guadarnés presumo
	Que hay para tales empresas
	Algo que ponerme.
NUÑO.	Vamos
	Sin que el Capitán nos sienta. 60
	(*Vanse.*)

ESCENA III

El Capitán, el Sargento, Rebolledo

CAPITÁN.	¡Que en una villana haya
	Tan hidalga resistencia,
	Que no me haya respondido
	Una palabra siquiera
	Apacible !

SARGENTO.   Éstas, señor,   65
No de los hombres se prendan
Como tú.   Si otro villano
La festejara y sirviera,
Hiciera más caso dél.
Fuera de que son tus quejas   70
Sin tiempo.   Si te has de ir
Mañana, ¿para qué intentas
Que una mujer en un día
Te escuche y te favorezca?

CAPITÁN.   En un día el sol alumbra   75
Y falta; en un día se trueca
Un reino todo; en un día
Es edificio una peña;
En un día una batalla
Pérdida y vitoria ostenta;   80
En un día tiene el mar
Tranquilidad y tormenta;
En un día nace un hombre
Y muere: luego pudiera
En un día ver mi amor   85
Sombra y luz como planeta,
Pena y dicha como imperio,

Gente y brutos como selva,
Paz y inquietud como mar,
Triunfo y ruina como guerra,   90
Vida y muerte como dueño
De sentidos y potencias:
Y habiendo tenido edad
En un día su violencia
De hacerme tan desdichado,   95
¿Por qué, por qué no pudiera
Tener edad en un día
De hacerme dichoso?   ¿Es fuerza
Que se engendren más de espacio
Las glorias que las ofensas?   100

SARGENTO.   Verla una vez solamente
¿A tanto extremo te fuerza?

CAPITÁN.   ¿Qué más causa había de haber,
Llegando a verla, que verla?
De sola una vez a incendio   105
Crece una breve pavesa;
De una vez sola un abismo
Sulfúreo volcán revienta;
De una vez se enciende el rayo,
Que destruye cuanto encuentra;   110
De una vez escupe horror
La más reformada pieza;
¿De una vez amor, qué mucho,
Que fuego en cuatro maneras,
Mina, incendio, pieza, rayo,   115
Postre, abrase, asombre y hiera?

SARGENTO.   ¿No decías que villanas
Nunca tenían belleza?

CAPITÁN.   Y aun aquesa confianza
                  Me mató, porque el que piensa   120
                  Que va a un peligro, ya va
                  Prevenido a la defensa;
                  Quien va a una seguridad,
                  Es el que más riesgo lleva,
                  Por la novedad que halla,   125
                  Si acaso un peligro encuentra.
                  Pensé hallar una villana;
                  Si hallé una deidad, ¿no era
                  Preciso que peligrase
                  En mi misma inadvertencia?   130
                  En toda mi vida ví
                  Más divina, más perfecta
                  Hermosura.   ¡Ay, Rebolledo!
                  No sé qué hiciera por verla.

REBOLLEDO.   En la compañía hay soldado   135
                  Que canta por excelencia;
                  Y la Chispa, que es mi alcaida
                  Del boliche, es la primera
                  Mujer en jacarear.
                  Haya, señor, jira y fiesta   140
                  Y música a su ventana;
                  Que con esto podrás verla,
                  Y aun hablarla.

CAPITÁN.   Como está
                  Don Lope allí, no quisiera
                  Despertarle.

REBOLLEDO.   Pues Don Lope   145
                  ¿Cuándo duerme con su pierna?
                  Fuera, señor, que la culpa,
                  Si se entiende, será nuestra,

           No tuya, si de rebozo
           Vas en la tropa.

CAPITÁN.   Aunque tenga   150
           Mayores dificultades,
           Pase por todas mis penas.
           Juntaos todos esta noche;
           Mas de suerte que no entiendan
           Que yo lo mando.   ¡Ha, Isabel,   155
           Qué de cuidados me cuestas!
           (*Vanse el Capitán y el Sargento.*)

ESCENA IV

LA CHISPA. — REBOLLEDO

CHISPA. (*Dentro.*)
           Téngase.
REBOLLEDO.   Chispa, ¿qué es esto?
CHISPA.   Hay un pobrete, que queda
           Con un rasguño en el rostro.
REBOLLEDO. Pues ¿por qué fué la pendencia?   160
CHISPA.   Sobre hacerme alicantina
           Del barato de hora y media
           Que estuvo echando las bolas,
           Teniéndome muy atenta
           A si eran pares o nones: 165
           Canséme y dile con esta.   (*Saca la daga.*)
           Mientras que con el barbero
           Poniéndose en puntos queda,
           Vamos al cuerpo de guardia;
           Que allá te daré la cuenta.   170
REBOLLEDO. ¡Bueno es estar de mohina,
           Cuando vengo yo de fiesta!

CHISPA.	Pues ¿qué estorba el uno al otro?	
	Aquí está la castañeta:	
	¿Qué se ofrece que cantar?	175
REBOLLEDO.	Ha de ser cuando anochezca,	
	Y música más fundada.	
	Vamos, y no te detengas.	
	Anda acá al cuerpo de guardia.	
CHISPA.	Fama ha de quedar eterna	180
	De mí en el mundo, que soy	
	Chispilla la Bolichera. (*Vanse.*)	

*Sala baja de casa de Crespo, con vistas y salida a un
jardín.   Ventana a un lado.*

ESCENA V

DON LOPE, CRESPO

CRESPO. (*Dentro.*)

	En este paso, que está	
	Más fresco, poned la mesa	
	Al señor Don Lope. Aquí	185
	Os sabrá mejor la cena;	
	Que al fin los días de agosto	
	No tienen más recompensa	
	Que sus noches.	
DON LOPE.	Apacible	
	Estancia en extremo es ésta.	190
CRESPO.	Un pedazo es de jardín,	
	Do mi hija se divierta.	
	Sentaos; que el viento suave	
	Que en las blandas hojas suena	
	Destas parras y estas copas,	195

Mil cláusulas lisonjeras
Hace al compás desta fuente,
Cítara de plata y perlas,
Porque son en trastes de oro
Las guijas templadas cuerdas.   200
Perdonad si de instrumentos
Solos la música suena,
De músicos que deleiten,
Sin voces que os entretengan.
Que como músicos son   205
Los pájaros que gorjean,
No quieren cantar de noche,
Ni yo puedo hacerles fuerza.
Sentaos pues, y divertid
Esa continua dolencia.   210

DON LOPE.   No podré; que es imposible
Que divertimiento tenga.
¡Válgame Dios!

CRESPO.   Valga, amén.

DON LOPE.   Los cielos me den paciencia.
Sentaos, Crespo.

CRESPO.   Yo estoy bien.   215

DON LOPE.   Sentaos.

CRESPO.   Pues me dais licencia,
Digo, señor, que obedezco,
Aunque excusarlo pudierais.   (*Siéntase.*)

DON LOPE.   ¿No sabéis que he reparado?
Que ayer la cólera vuestra   220
Os debió de enajenar
De vos.

CRESPO.   Nunca me enajena
A mí de mí nada.

DON LOPE.	Pues
	¿Cómo ayer, sin que os dijera
	Que os sentarais, os sentasteis,
	Aun en la silla primera?
CRESPO.	Porque no me lo dijisteis;
	Y hoy, que lo decís, quisiera
	No hacerlo: la cortesía,
	Tenerla con quien la tenga.
DON LOPE.	Ayer todo erais reniegos,
	Porvidas, votos y pesias;
	Y hoy estáis más apacible,
	Con más gusto y más prudencia.
CRESPO.	Yo, señor, siempre respondo
	En el tono y en la letra
	Que me hablan: ayer vos
	Así hablabais, y era fuerza
	Que fuera de un mismo tono
	La pregunta y la respuesta.
	Demás de que yo he tomado
	Por política discreta
	Jurar con aquel que jura,
	Rezar con aquel que reza.
	A todo hago compañía;
	Y es aquesto de manera,
	Que en toda la noche pude
	Dormir, en la pierna vuestra
	Pensando, y amanecí
	Con dolor en ambas piernas;
	Que por no errar la que os duele,
	Si es la izquierda o la derecha,
	Me dolieron a mí entrambas.
	Decidme por vida vuestra

225

230

235

240

245

250

	Cuál es, y sépalo yo,	255
	Porque una sola me duela.	
DON LOPE.	¿No tengo mucha razón	
	De quejarme, si ha ya treinta	
	Años que asistiendo en Flandes	
	Al servicio de la guerra,	260
	El invierno con la escarcha,	
	Y el verano con la fuerza	
	Del sol, nunca descansé,	
	Y no he sabido qué sea	
	Estar sin dolor un hora?	265
CRESPO.	¡Dios, señor, os dé paciencia!	
DON LOPE.	¿Para qué la quiero yo?	
CRESPO.	No os la dé.	
DON LOPE.	Nunca acá venga,	
	Sino que dos mil demonios	
	Carguen conmigo y con ella.	270
CRESPO.	Amén, y si no lo hacen,	
	Es por no hacer cosa buena.	
DON LOPE.	¡Jesús mil veces, Jesús!	
CRESPO.	Con vos y conmigo sea.	
DON LOPE.	¡Voto a Cristo, que me muero!	275
CRESPO.	¡Voto a Cristo, que me pesa!	

ESCENA VI

JUAN, *que saca la mesa.* — DON LOPE

JUAN.	Ya tienes la mesa aquí.	
DON LOPE.	¿Cómo a servirla no entran	
	Mis criados?	
CRESPO.	Yo, señor,	
	Dije, con vuestra licencia,	280

          Que no entraran a serviros,
          Y que en mi casa no hicieran
          Prevenciones; que a Dios gracias,
          Pienso que no os falte en ella
          Nada.

DON LOPE.   Pues no entran criados,   285
          Hacedme favor que venga
          Vuestra hija aquí a cenar
          Conmigo.

CRESPO.   Dila que venga
          Tu hermana al instante, Juan.
             (*Vase Juan.*)

DON LOPE.   Mi poca salud me deja   290
          Sin sospecha en esta parte.

CRESPO.   Aunque vuestra salud fuera,
          Señor, la que yo os deseo,
          Me dejara sin sospecha.
          Agravio hacéis a mi amor,   295
          Que nada de eso me inquieta;
          Que el decirla que no entrara
          Aquí, fué con advertencia
          De que no estuviese a oír
          Ociosas impertinencias.   300
          Que si todos los soldados
          Corteses como vos fueran,
          Ella había de acudir
          A serviros la primera.

DON LOPE. (*Ap.*)
          ¡Qué ladino es el villano,   305
          O cómo tiene prudencia!

ESCENA VII

Juan, Inés, Isabel. — Don Lope, Crespo

ISABEL.	¿Qué es, señor, lo que me mandas?
CRESPO.	El señor Don Lope intenta
	Honraros: él es quien llama.
ISABEL.	Aquí está una esclava vuestra.
DON LOPE.	Serviros intento yo:
	(*Ap.*) (¡Qué hermosura tan honesta!)
	Que cenéis conmigo quiero.
ISABEL.	Mejor es que a vuestra cena
	Sirvamos las dos.
DON LOPE.	Sentaos.
CRESPO.	Sentaos, haced lo que ordena
	El señor Don Lope.
ISABEL.	Está
	El mérito en la obediencia.
	(*Siéntanse.* — *Tocan dentro guitarras.*)
DON LOPE.	¿Qué es aquello?
CRESPO.	Por la calle
	Los soldados se pasean
	Cantando y bailando.
DON LOPE.	Mal
	Los trabajos de la guerra
	Sin aquesta libertad
	Se llevaran; que es estrecha
	Religión la de un soldado,
	Y darla ensanchas es fuerza.
JUAN.	Con todo eso, es linda vida.
DON LOPE.	¿Fuérades con gusto a ella?
JUAN.	Sí, señor, como llevara
	Por amparo a Vuecelencia.

310

315

320

325

330

ESCENA VIII

Soldados, Rebolledo. — Dichos

UN SOLDADO. (*Dentro.*)
Mejor se cantará aquí.

REBOLLEDO. (*Dentro.*)
Vaya a Isabel una letra,
Para que despierte, tira
A su ventana una piedra.
(*Suena una piedra en una ventana.*)

CRESPO. (*Ap.*) A ventana señalada   335
Va la música: paciencia.

UNA VOZ. (*Canta dentro.*)
Las flores del romero,
Niña Isabel,
Hoy son flores azules,
Y mañana serán miel.   340

DON LOPE.   (*Ap.* Música, vaya; mas esto
De tirar es desvergüenza . . .
¡Y a la casa donde estoy
Venirse a dar cantaletas! . . .
Pero disimularé   345
Por Pedro Crespo y por ella.)
¡Qué travesuras!

CRESPO.   Son mozos.
(*Ap.* Si por Don Lope no fuera,
Yo les hiciera . . .)

JUAN. (*Ap.*)   Si yo
Una rodelilla vieja,   350
Que en el cuarto de Don Lope
Está colgada, pudiera
Sacar . . .   (*Hace que se va.*)

CRESPO.   ¿Dónde vais, mancebo?

JUAN.   Voy a que traigan la cena.

CRESPO.   Allá hay mozos que la traigan.   355

SOLDADOS. (*Dentro, cantando.*)
                    Despierta, Isabel, despierta.

ISABEL. (*Ap.*) ¿Qué culpa tengo yo, cielos,
                    Para estar a esto sujeta?

DON LOPE.   Ya no se puede sufrir,
                    Porque es cosa muy mal hecha.   360
                    (*Arroja la mesa.*)

CRESPO.   Pues ¡y cómo si lo es!
                    (*Arroja la silla.*)

DON LOPE.   (*Ap.* Llevéme de mi impaciencia.)
                    ¿No es, decidme, muy mal hecho,
                    Que tanto una pierna duela?

CRESPO.   De eso mismo hablaba yo.   365

DON LOPE.   Pensé que otra cosa era.
                    Como arrojasteis la silla . . .

CRESPO.   Como arrojasteis la mesa
                    Vos, no tuve que arrojar
                    Otra cosa yo más cerca.   370
                    (*Ap.*) (Disimulemos, honor.)

DON LOPE.   (*Ap.*) (¡Quién en la calle estuviera!)
                    Ahora bien, cenar no quiero.
                    Retiraos.

CRESPO.   En hora buena.

DON LOPE.   Señora, quedad con Dios.   375

ISABEL.   El cielo os guarde.

DON LOPE. (*Ap.*)   A la puerta
                    De la calle ¿no es mi cuarto?
                    Y en él ¿no está una rodela?

CRESPO. (*Ap.*) ¿No tiene puerta el corral,
                Y yo una espadilla vieja?   380

DON LOPE.   Buenas noches.

CRESPO.   Buenas noches.
                (*Ap.*) (Encerraré por defuera
                A mis hijos.)

DON LOPE. (*Ap.*)   Dejaré
                Un poco la casa quieta.

ISABEL (*Ap.*) ¡Oh qué mal, cielos, los dos   385
                Disimulan que les pesa!

INÉS. (*Ap.*)   Mal el uno por el otro
                Van haciendo la deshecha.

CRESPO.   ¡Hola, mancebo!...

JUAN.   Señor.

CRESPO.   Acá está la cama vuestra.   (*Vanse.*) 390

Calle

ESCENA IX

EL CAPITÁN, EL SARGENTO; LA CHISPA y REBOLLEDO, *con guitarras*, SOLDADOS

REBOLLEDO.   Mejor estamos aquí.
                El sitio es más oportuno:
                Tome rancho cada uno.

CHISPA.   ¿Vuelve la música?

REBOLLEDO.   Sí.

CHISPA.   Ahora estoy en mi centro.   395

CAPITÁN.   ¡Que no haya una ventana
                Entreabierto esta villana!

SARGENTO.   Pues bien lo oyen allá dentro.

CHISPA.   Espera.

Sargento.	Será a mi costa.
Rebolledo.	No es más de hasta ver quién es 400
	Quien llega.
Chispa.	Pues qué, ¿no ves
	Un jinete de la costa?

ESCENA X

Don Mendo, *con adarga*, Nuño. — Dichos

Don Mendo.	(*Ap. a Nuño.*)
	¿Ves bien lo que pasa?
Nuño.	No,
	No veo bien; pero bien
	Lo escucho.
Don Mendo.	¿Quién, cielos, quién 405
	Esto puede sufrir?
Nuño.	Yo.
Don Mendo.	¿Abrirá acaso Isabel
	La ventana?
Nuño.	Sí abrirá.
Don Mendo.	No hará, villano.
Nuño.	No hará.
Don Mendo.	¡Ha, celos, pena cruel! 410
	Bien supiera yo arrojar
	A todos a cuchilladas
	De aquí; más disimuladas
	Mis desdichas han de estar
	Hasta ver si ella ha tenido 415
	Culpa dello.
Nuño.	Pues aquí
	Nos sentemos.

Don Mendo.	Bien: así
	Estaré desconocido.
Rebolledo.	Pues ya el hombre se ha sentado,
	Si ya no es que ser ordena 420
	Algún alma que anda en pena
	De las cañas que ha jugado
	Con su adarga a cuestas, da
	Voz al aire. (*A la Chispa.*)
Chispa.	Ya él la lleva.
Rebolledo.	Va una jácara tan nueva, 425
	Que corra sangre.
Chispa.	Sí hará.

ESCENA XI

Don Lope y Crespo *a un tiempo, con broqueles y
cada uno por su lado.* — Dichos

Chispa. (*Canta.*)

*Érase cierto Sampayo
La flor de los andaluces,
El jaque de mayor porte
Y el rufo de mayor lustre.   430
Éste pues a la Chillona
Topó un día . . .*

Rebolledo.   No le culpen
La fecha; que el asonante
Quiere que haya sido en lunes.

Chispa.   *Topó, digo, a la Chillona,   435
Que brindando entre dos luces,
Ocupaba con el Garlo
La casa de las azumbres.*

> *El Garlo, que siempre fué,*
> *En todo lo que le cumple,* 440
> *Rayo de tejado abajo,*
> *Porque era rayo sin nube,*
> *Sacó la espada, y a un tiempo.*
> *Un tajo y revés sacude.*

CRESPO.   Sería desta manera. 445
DON LOPE.   Que sería así no duden. —

> (*Acuchillan Don Lope y Crespo a los solda-*
> *dos y a Don Mendo y Nuño; métenlos, y*
> *vuelve Don Lope.*)

> ¡Gran valor! y uno ha quedado
> Dellos, y es el que está aquí.
>   (*Vuelve Crespo.*)

CRESPO. (*Ap.*) Cierto es que él que queda ahí
> Sin duda es algún soldado. 450

DON LOPE. (*Ap.*)
> Ni aun éste no ha de escapar
> Sin almagre.

CRESPO. (*Ap.*)   Ni éste quiero
> Que quede sin que mi acero
> La calle le haga dejar.

DON LOPE.   ¿No huis con los otros?
CRESPO.   Huid vos, 455
> Que sabréis huir más bien.
>   (*Riñen.*)

DON LOPE. (*Ap.*)
> ¡Voto a Dios, que riñe bien!
CRESPO. (*Ap.*) ¡Bien pelea, voto a Dios!

ESCENA XII

JUAN, *con espada.* — DON LOPE, CRESPO

JUAN.	(*Ap.* Quiera el cielo que le tope.)	
	Señor, a tu lado estoy.	460
DON LOPE.	¿Es Pedro Crespo?	
CRESPO.	Yo soy.	
	¿Es Don Lope?	
DON LOPE.	Sí, es Don Lope.	
	¿Que no habíais, no dijisteis,	
	De salir? ¿Qué hazaña es esta?	
CRESPO.	Sean disculpa y respuesta	465
	Hacer lo que vos hicisteis.	
DON LOPE.	Aquesta era ofensa mía,	
	Vuestra no.	
CRESPO.	No hay que fingir;	
	Que yo he salido a reñir	
	Por haceros compañía.	470

ESCENA XIII

SOLDADOS, EL CAPITÁN. — DICHOS

SOLDADOS. (*Dentro.*)		
	A dar muerte nos juntemos	
	A estos villanos.	
CAPITÁN. (*Dentro.*)	Mirad . . .	
	(*Salen los soldados y el Capitán.*)	
DON LOPE.	¿Aquí no estoy yo? Esperad.	
	¿De qué son estos extremos?	
CAPITÁN.	Los soldados han tenido	475
	(Porque se estaban holgando	

	En esta calle, cantando	
	Sin alboroto ni ruido)	
	Una pendencia, y yo soy	
	Quien los está deteniendo.	480
DON LOPE.	Don Alvaro, bien entiendo	
	Vuestra prudencia; y pues hoy	
	Aqueste lugar está	
	En ojeriza, yo quiero	
	Excusar rigor más fiero;	485
	Y pues amanece ya,	
	Orden doy que en todo el día,	
	Para que mayor no sea	
	El daño, de Zalamea	
	Saquéis vuestra compañía:	490
	Y estas cosas acabadas,	
	No vuelvan a ser, porque	
	La paz otra vez pondré,	
	Voto a Dios, a cuchilladas.	
CAPITÁN.	Digo que aquesta mañana	495
	La compañía haré marchar.	
	(*Ap.* La vida me has de costar,	
	Hermosísima villana.)	
CRESPO. (*Ap.*)	Caprichudo es el Don Lope;	
	Ya haremos migas los dos.	500
DON LOPE.	Veníos conmigo vos,	
	Y sólo ninguno os tope. (*Vanse.*)	

ESCENA XIV

DON MENDO; NUÑO, *herido*

DON MENDO.	¿Es algo, Nuño, la herida?
NUÑO.	Aunque fuera menor, fuera

	De mí muy mal recibida,	505
	Y mucho más que quisiera.	
DON MENDO.	Yo no he tenido en mi vida	
	Mayor pena ni tristeza.	
NUÑO.	Yo tampoco.	
DON MENDO.	Que me enoje	
	Es justo. ¿Que su fiereza	510
	Luego te dió en la cabeza?	
NUÑO.	Todo este lado me coge.	

(*Tocan dentro.*)

DON MENDO. ¿Qué es esto?

NUÑO.   La compañía
Que hoy se va.

DON MENDO.   Y es dicha mía,
Pues con eso cesarán   515
Los celos del Capitán.

NUÑO.   Hoy se ha de ir en todo el día.

ESCENA XV

EL CAPITÁN y EL SARGENTO, *a un lado*. — DON
MENDO y NUÑO, *al otro*

CAPITÁN.   Sargento, vaya marchando
Antes que decline el día
Con toda la compañía,   520
Y con prevención que cuando
Se esconda en la espuma fría
Del océano español
Ese luciente farol,
En ese monte le espero,   525
Porque hallar mi vida quiero
Hoy en la muerte del sol.

SARGENTO. (*Ap. al Capitán.*)
                Calla, que está aquí un figura
                Del lugar.
DON MENDO. (*Ap. a Nuño.*) Pasar procura
                Sin que entiendan mi tristeza.   530
                No muestres, Nuño, flaqueza.
NUÑO.   ¿Puedo yo mostrar gordura?
                (*Vanse don Mendo y Nuño.*)

ESCENA XVI

EL CAPITÁN, EL SARGENTO

CAPITÁN.   Yo he de volver al lugar,
                Porque tengo prevenida
                Una criada, a mirar   535
                Si puedo por dicha hablar
                A aquesta hermosa homicida.
                Dádivas han granjeado
                Que apadrine mi cuidado.
SARGENTO.   Pues, señor, si has de volver,   540
                Mira que habrás menester
                Volver bien acompañado;
                Porque al fin no hay que fiar
                De villanos.
CAPITÁN.   Ya lo sé.
                Algunos puedes nombrar   545
                Que vuelvan conmigo.
SARGENTO.   Haré
                Cuanto me quieras mandar;
                Pero, ¿si acaso volviese
                Don Lope, y te conociese
                Al volver?

CAPITÁN.	Ese temor	550
	Quiso también que perdiese	
	En esta parte mi amor;	
	Que Don Lope se ha de ir	
	Hoy también a prevenir	
	Todo el tercio a Guadalupe;	555
	Que todo lo dicho supe	
	Yéndome ahora a despedir	
	Dél, porque ya el Rey vendrá,	
	Que puesto en camino está.	
SARGENTO.	Voy, señor, a obedecerte. (*Vase.*)	560
CAPITÁN.	Que me va la vida advierte.	

ESCENA XVII

REBOLLEDO, LA CHISPA. — EL CAPITÁN

REBOLLEDO.	Señor, albricias me da.	
CAPITÁN.	¿De qué han de ser, Rebolledo?	
REBOLLEDO.	Muy bien merecerlas puedo,	
	Pues solamente te digo ...	565
CAPITÁN.	¿Qué?	
REBOLLEDO.	Que ya hay un enemigo	
	Menos a quien tener miedo.	
CAPITÁN.	¿Quién es? Dilo presto.	
REBOLLEDO.	Aquel	
	Mozo, hermano de Isabel.	
	Don Lope se le pidió	570
	Al padre, y él se le dió,	
	Y va a la guerra con él.	
	En la calle le he topado	
	Muy galán, muy alentado,	
	Mezclando a un tiempo, señor,	575

	Rezagos de labrador	
	Con primicias de soldado;	
	De suerte que el viejo es ya	
	Quien pesadumbre nos da.	
CAPITÁN.	Todo nos sucede bien,	580
	Y más si me ayuda quien	
	Esta esperanza me da	
	De que esta noche podré	
	Hablarla.	
REBOLLEDO.	No pongas duda.	
CAPITÁN.	Del camino volveré;	585
	Que agora es razón que acuda	
	A la gente que se ve	
	Ya marchar. Los dos seréis	
	Los que conmigo vendréis. (*Vase.*)	
REBOLLEDO.	Pocos somos, vive Dios,	590
	Aunque vengan otros dos,	
	Otros cuatro y otros seis.	
CHISPA.	Y yo, si tú has de volver	
	Allá ¿qué tengo de hacer?	
	Pues no estoy segura yo,	595
	Si da conmigo el que dió	
	Al barbero que coser.	
REBOLLEDO.	No sé que he de hacer de ti.	
	¿No tendrás ánimo, di,	
	De acompañarme?	
CHISPA.	¿Pues no?	600
	Vestido no tengo yo,	
	Ánimo y esfuerzo sí.	
REBOLLEDO.	Vestido no faltará;	
	Que ahí otro del paje está	
	De jineta, que se fué.	605

CHISPA.   Pues yo a la par pasaré
             Con él.

REBOLLEDO.   Vamos, que se va
             La bandera.

CHISPA.   Y yo veo agora
             Por qué en el mundo he cantado:
             «Que el amor del soldado   610
             No dura un hora.»   (*Vanse.*)

ESCENA XVIII

DON LOPE, CRESPO, JUAN

DON LOPE.   A muchas cosas os soy
             En extremo agradecido;
             Pero sobre todas, esta
             De darme hoy a vuestro hijo   615
             Para soldado, en el alma
             Os la agradezco y estimo.

CRESPO.   Yo os le doy para criado.

DON LOPE.   Yo os le llevo para amigo;
             Que me ha inclinado en extremo   620
             Su desenfado y su brío,
             Y la afición a las armas.

JUAN.   Siempre a vuestros pies rendido
             Me tendréis, y vos veréis
             De la manera que os sirvo,   625
             Procurando obedecéros
             En todo.

CRESPO.   Lo que os suplico,
             Es que perdonéis, señor,
             Si no acertare a serviros,
             Porque en el rústico estudio,   630

A donde rejas y trillos,
Palas, azadas y bielgos
Son nuestros mejores libros,
No habrá podido aprender
Lo que en los palacios ricos   635
Enseña la urbanidad,
Política de los siglos.

DON LOPE.   Ya que va perdiendo el sol
La fuerza, irme determino.   640

JUAN.   Veré si viene, señor,
La litera.   (*Vase.*)

ESCENA XIX

ISABEL, INÉS. — DON LOPE, CRESPO

ISABEL.   ¿Y es bien iros,
Sin despediros de quien
Tanto desea serviros?

DON LOPE. (*A Isabel.*)
No me fuera sin besaros
Las manos y sin pediros   645
Que liberal perdonéis
Un atrevimiento digno
De perdón, porque no el precio
Hace el don, sino el servicio.
Esta venera, que aunque   650
Está de diamantes ricos
Guarnecida, llega pobre
A vuestras manos, suplico
Que la toméis y traigáis
Por patena, en nombre mío.   655

ISABEL.	Mucho siento que penséis,
	Con tan generoso indicio,
	Que pagáis el hospedaje,
	Pues de honra que recibimos,
	Somos los deudores.
DON LOPE.	Esto 660
	No es paga, sino cariño.
ISABEL.	Por cariño, y no por paga,
	Solamente la recibo.
	A mi hermano os encomiendo,
	Ya que tan dichoso ha sido, 665
	Que merece ir por criado
	Vuestro.
DON LOPE.	Otra vez os afirmo
	Que podéis descuidar dél;
	Que va, señora, conmigo.

ESCENA XX

JUAN. — DICHOS

JUAN.	Ya está la litera puesta. 670
DON LOPE.	Con Dios os quedad.
CRESPO.	El mismo
	Os guarde.
DON LOPE.	¡Ha buen Pedro Crespo!
CRESPO.	¡Ha Señor Don Lope invicto!
DON LOPE.	¿Quién nos dijera aquel día
	Primero que aquí nos vimos, 675
	Que habíamos de quedar
	Para siempre tan amigos?
CRESPO.	Yo lo dijera, señor,

Si allí supiera, al oiros,
Que erais . . .   (*Al irse ya.*)

DON LOPE.   Decid por mi vida.   680

CRESPO.   Loco de tan buen capricho.
          (*Vase Don Lope.*)

ESCENA XXI

CRESPO, JUAN, ISABEL, INÉS

CRESPO.   En tanto que se acomoda
          El señor Don Lope, hijo,
          Ante tu prima y tu hermana
          Escucha lo que te digo.   685
          Por la gracia de Dios, Juan,
          Eres de linaje limpio
          Más que el sol, pero villano:
          Lo uno y lo otro te digo,
          Aquello, porque no humilles   690
          Tanto tu orgullo y tu brío,
          Que dejes, desconfiado,
          De aspirar con cuerdo arbitrio
          A ser más; lo otro, porque
          No vengas, desvanecido,   695
          A ser menos: igualmente
          Usa de entrambos disinios
          Con humildad; porque siendo
          Humilde, con recto juicio
          Acordarás lo mejor;   700
          Y como tal, en olvido
          Pondrás cosas que suceden
          Al revés en los altivos.
          ¡Cuántos, teniendo en el mundo

Algún defeto consigo   705
Le han borrado por humildes!
Y ¡cuántos, que no han tenido
Defeto, se le han hallado,
Por estar ellos mal vistos!
Sé cortés sobremanera,   710
Sé liberal y partido;
Que el sombrero y el dinero
Son los que hacen los amigos;
Y no vale tanto el oro
Que el sol engendra en el indio   715
Suelo y que consume el mar,
Como ser uno bienquisto.
No hables mal de las mujeres;
La más humilde, te digo
Que es digna de estimación,   720
Porque, al fin, dellas nacimos.
No riñas por cualquier cosa;
Que cuando en los pueblos miro
Muchos que a reñir se enseñan,
Mil veces entre mí digo: 725
«Aquesta escuela no es
La que ha de ser, pues colijo
Que no ha de enseñarle a un hombre
Con destreza, gala y brío
A reñir, sino a por qué   730
Ha de reñir; que yo afirmo
Que si hubiera un maestro solo
Que enseñara prevenido,
No el cómo, el por qué se riña,
Todos le dieran sus hijos».   735
Con esto, y con el dinero

Que llevas para el camino,
Y para hacer, en llegando
De asiento, un par de vestidos,
El amparo de Don Lope   740
Y mi bendición, yo fío
En Dios que tengo de verte
En otro puesto.   Adiós, hijo;
Que me enternezco en hablarte.

JUAN.   Hoy tus razones imprimo   745
En el corazón, adonde
Vivirán, mientras yo vivo.
Dame tu mano, y tú, hermana,
Los brazos; que ya ha partido
Don Lope, mi señor, y es   750
Fuerza alcanzarlo.

ISABEL.   Los míos
Bien quisieran detenerte.

JUAN.   Prima, adiós.

INÉS.   Nada te digo
Con la voz, porque los ojos
Hurtan a la voz su oficio.   755
Adiós.

CRESPO.   Ea, vete presto;
Que cada vez que te miro,
Siento más el que te vayas:
Y ha de ser, porque lo he dicho.

JUAN.   El cielo con todos quede.   760

CRESPO.   El cielo vaya contigo.   (*Vase Juan.*)

ESCENA XXII

CRESPO, ISABEL, INÉS

ISABEL.	¡Notable crueldad has hecho!
CRESPO.	(*Ap.* Agora que no le miro,
	Hablaré más consolado.)
	¿Qué había de hacer conmigo,
	Sino ser toda su vida
	Un holgazán, un perdido?
	Váyase a servir al Rey.
ISABEL.	Que de noche haya salido
	Me pesa a mí.
CRESPO.	Caminar
	De noche por el estío,
	Antes es comodidad
	Que fatiga, y es preciso
	Que a Don Lope alcance luego
	Al instante. (*Ap.* Enternecido
	Me deja, cierto, el muchacho,
	Aunque en público me animo.)
ISABEL.	Éntrate, señor, en casa.
INÉS.	Pues sin soldados vivimos,
	Estémonos otro poco
	Gozando a la puerta el frío
	Viento que corre; que luego
	Saldrán por ahí los vecinos.
CRESPO.	(*Ap.* A la verdad, no entro dentro,
	Porque desde aquí imagino,
	Como el camino blanquea,
	Que veo a Juan en el camino.)
	Inés, sácame a esta puerta
	Asiento.

765

770

775

780

785

INÉS.	Aquí está un banquillo.	
ISABEL.	Esta tarde diz que ha hecho	790
	La villa elección de oficios.	
CRESPO.	Siempre aquí por el agosto	
	Se hace. (*Siéntanse.*)	

ESCENA XXIII

EL CAPITÁN, EL SARGENTO, REBOLLEDO, LA CHISPA y
SOLDADOS, *embozados*. — CRESPO, ISABEL, INÉS

CAPITÁN. (*Ap. a los suyos.*)   Pisad sin ruido.
                Llega, Rebolledo, tú,
                Y da a la criada aviso   795
                De que ya estoy en la calle.
REBOLLEDO.   Yo voy.   Mas ¡qué es lo que miro!
                A su puerta hay gente.
SARGENTO.   Y yo
                En los reflejos y visos
                Que la luna hace en el rostro,   800
                Que es Isabel, imagino
                Ésta.
CAPITÁN.   Ella es: más que la luna,
                El corazón me lo ha dicho.
                A buena ocasión llegamos.
                Si ya que una vez venimos,   805
                Nos atrevemos a todo,
                Buena venida habrá sido.
SARGENTO.   ¿Estás para oír un consejo?
CAPITÁN.   No.
SARGENTO.   Pues ya no te le digo.
                Intenta lo que quisieres.   810

CAPITÁN.   Yo he de llegar, y atrevido
            Quitar a Isabel de allí.
            Vosotros a un tiempo mismo
            Impedid a cuchilladas
            El que me sigan.

SARGENTO.   Contigo   815
            Venimos, y a tu orden hemos
            De estar.

CAPITÁN.   Advertid que el sitio
            En que habemos de juntarnos
            Es ese monte vecino,
            Que está a la mano derecha,   820
            Como salen del camino.

REBOLLEDO. Chispa.

CHISPA.   ¿Qué?

REBOLLEDO.   Ten esas capas.

CHISPA.   Que es del reñir, imagino,
            La gala el guardar la ropa,
            Aunque del nadar se dijo.   825

CAPITÁN.   Yo he de llegar el primero.

CRESPO.   Harto hemos gozado el sitio.
            Entrémonos allá dentro.

CAPITÁN. (*Ap. a los suyos.*)
            Ya es tiempo, llegad, amigos.
            (*Lléganse a los tres los soldados; detienen a
            Crespo y a Inés, y se apoderan de Isabel.*)

ISABEL.   ¡Ha traidor! Señor, ¿qué es esto?   830

CAPITÁN.   Es una furia, un delirio
            De amor.   (*Llévala y vase.*)

ISABEL. (*Dentro.*)   ¡Ha traidor! — ¡Señor!

CRESPO.   ¡Ha cobardes!

ISABEL. (*Dentro.*)   ¡Padre mío!

INÉS. (*Ap.*)   Yo quiero aquí retirarme.   (*Vase.*)

CRESPO.   ¡Cómo echáis de ver (¡ha impíos!)   835
Que estoy sin espada, aleves,
Falsos y traidores!

REBOLLEDO.   Idos,
Si no queréis que la muerte
Sea el último castigo.
          (*Vanse los robadores.*)

CRESPO.   ¿Qué importará, si está muerto   840
Mi honor, el quedar yo vivo?
¡Ha, quién tuviera una espada!
Cuando sin armas seguirlos
Es imposible, y si airado
A ir por ella me animo,   845
Los he de perder de vista.
¿Qué he de hacer, hados esquivos?
Que de cualquiera manera
Es uno solo el peligro.

ESCENA XXIV

INÉS, *con una espada.* — CRESPO

INÉS.   Ésta, señor, es tu espada.   850

CRESPO.   A buen tiempo la has traído.
Ya tengo honra, pues ya tengo
Espada con que seguirlos.   (*Vanse.*)

Campo.

ESCENA XXV

CRESPO, *riñendo con* EL SARGENTO, REBOLLEDO *y
los* SOLDADOS; *después,* ISABEL

CRESPO.	Soltad la presa, traidores	
	Cobardes, que habéis cogido;	855
	Que he de cobrarla, o la vida	
	He de perder.	
SARGENTO.	Vano ha sido	
	Tu intento, que somos muchos.	
CRESPO.	Mis males son infinitos,	
	Y riñen todos por mí ... (*Cae.*)	860
	—Pero la tierra que piso,	
	Me ha faltado.	
REBOLLEDO.	Dale muerte.	
SARGENTO.	Mirad que es rigor impío	
	Quitarle vida y honor.	
	Mejor es en lo escondido	865
	Del monte dejarle atado,	
	Porque no lleve el aviso.	
ISABEL. (*Dentro.*)		
	¡Padre y señor!	
CRESPO.	¡Hija mía!	
REBOLLEDO.	Retírale como has dicho.	
CRESPO.	Hija, solamente puedo	870
	Seguirte con mis suspiros.	
	(*Llévanle.*)	

ESCENA XXVI

ISABEL y CRESPO, *dentro; después*, JUAN

ISABEL. (*Dentro.*)
     ¡Ay de mí!
JUAN. (*Saliendo.*)   ¡Qué triste voz!
CRESPO. (*Dentro.*)
     ¡Ay de mí!
JUAN.   ¡Mortal gemido!
     A la entrada de ese monte
     Cayó mi rocín conmigo,   875
     Veloz corriendo, y yo ciego
     Por la maleza le sigo.
     Tristes voces a una parte,
     Y a otra míseros gemidos
     Escucho, que no conozco,   880
     Porque llegan mal distintos.
     Dos necesidades son
     Las que apellidan a gritos
     Mi valor; y pues iguales
     A mi parecer han sido,   885
     Y uno es hombre, otro mujer,
     A seguir ésta me animo;
     Que así obedezco a mi padre
     En dos cosas que me dijo:
     «Reñir con buena ocasión,   890
     Y honrar la mujer», pues miro
     Que así honro a la mujer,
     Y con buena ocasión riño.

TERCERA JORNADA

Interior de un monte.

ESCENA PRIMERA

ISABEL, *llorando*

Nunca amanezca a mis ojos
La luz hermosa del día,
Porque a su sombra no tenga
Vergüenza yo de mí misma.
¡Oh tú, de tantas estrellas   5
Primavera fugitiva,
No des lugar a la aurora,
Que tu azul campaña pisa,
Para que con risa y llanto
Borre tu apacible vista,   10
O ya que ha de ser, que sea
Con llanto, mas no con risa!
Detente, oh mayor planeta,
Más tiempo en la espuma fría
Del mar: deja que una vez   15
Dilate la noche esquiva
Su trémulo imperio: deja
Que de tu deidad se diga,
Atenta a mis ruegos, que es
Voluntaria y no precisa.   20
¿Para qué quieres salir
A ver en la historia mía
La más inorme maldad,

La más fiera tiranía,
Que en vergüenza de los hombres   25
Quiere el cielo que se escriba?
Mas ¡ay de mí! que parece
Que es crueldad tu tiranía;
Pues desde que te rogué
Que te detuvieses, miran   30
Mis ojos tu faz hermosa
Descollarse por encima
De los montes.   ¡Ay de mí!
Que acosada y perseguida
De tantas penas, de tantas   35
Ansias, de tantas impías
Fortunas, contra mi honor
Se han conjurado tus iras.
¿Qué he de hacer?   ¿Dónde he de ir?
Si a mi casa determinan   40
Volver mis erradas plantas,
Será dar nueva mancilla
A un anciano padre mío,
Que otro bien, otra alegría
No tuvo, sino mirarse   45
En la clara luna limpia
De mi honor, que hoy desdichado
Tan torpe mancha le eclipsa.
Si dejo, por su respeto
Y mi temor afligida,   50
De volver a casa, dejo
Abierto el paso a que diga
Que fuí cómplice en mi infamia;
Y ciega y inadvertida
Vengo a hacer de la inocencia   55

Acreedora a la malicia.
¡Qué mal hice, qué mal hice
De escaparme fugitiva
De mi hermano! ¿No valiera
Más que su cólera altiva   60
Me diera la muerte, cuando
Llegó a ver la suerte mía?
Llamarle quiero, que vuelva
Con saña más vengativa,
Y me dé muerte: confusas   65
Voces el eco repita,
Diciendo...

ESCENA II

CRESPO. — ISABEL

CRESPO. (*Dentro.*)   Vuelve a matarme.
Serás piadoso homicida;
Que no es piedad el dejar
A un desdichado con vida.   70

ISABEL.   ¿Qué voz es ésta, qué mal
Pronunciada y poco oída,
No se deja conocer?

CRESPO. (*Dentro.*)
Dadme muerte, si os obliga
Ser piadosos.

ISABEL.   ¡Cielos, cielos!   75
Otro la muerte apellida,
Otro desdichado hay,
Que hoy a pesar suyo viva.
(*Aparta unas ramas y descúbrese Crespo
atado.*)

	Mas ¿qué es lo que ven mis ojos?	
CRESPO.	Si piedades solicita	80
	Cualquiera que aqueste monte	
	Temerosamente pisa,	
	Llegue a dar muerte ... Mas ¡cielos!	
	¿Qué es lo que mis ojos miran?	
ISABEL.	Atadas atrás las manos	85
	A una rigurosa encina ...	
CRESPO.	Enterneciendo los cielos	
	Con las voces que apellida ...	
ISABEL.	Mi padre está.	
CRESPO.	Mi hija viene.	
ISABEL.	¡Padre y señor!	
CRESPO.	Hija mía,	90
	Llégate, y quita estos lazos.	
ISABEL.	No me atrevo; que si quitan	
	Los lazos que te aprisionan	
	Una vez las manos mías,	
	No me atreveré, señor,	95
	A contarte mis desdichas,	
	A referirte mis penas;	
	Porque si una vez te miras	
	Con manos, y sin honor,	
	Me darán muerte tus iras;	100
	Y quiero, antes que las veas,	
	Referirte mis fatigas.	
CRESPO.	Detente, Isabel, detente,	
	No prosigas; que desdichas,	
	Isabel, para contarlas	105
	No es menester referirlas.	
ISABEL.	Hay muchas cosas que sepas,	
	Y es forzoso que al decirlas,	

Tu valor se irrite, y quieras
Vengarlas antes de oírlas.   110
— Estaba anoche gozando
La seguridad tranquila,
Que al abrigo de tus canas
Mis años me prometían,
Cuando aquellos embozados   115
Traidores (que determinan
Que lo que el honor defiende
El atrevimiento rinda)
Me robaron: bien así
Como de los pechos quita   120
Carnicero hambriento lobo
A la simple corderilla.
Aquel Capitán, aquel
Huésped ingrato, que el día
Primero introdujo en casa   125
Tan nunca esperada cisma
De traiciones y cautelas,
De pendencias y rencillas,
Fué el primero que en sus brazos
Me cogió, mientras le hacían   130
Espaldas otros traidores,
Que en su bandera militan.
Aqueste intrincado, oculto
Monte, que está a la salida
Del lugar, fué su sagrado: 135
¿Cuándo de la tiranía
No son sagrado los montes?
Aquí ajena de mí misma
Dos veces me miré, cuando
Aun tu voz, que me seguía,   140

Me dejó; porque ya el viento
A quien tus acentos fías,
Con la distancia, por puntos
Adelgazándose iba:
De suerte, que las que eran   145
Antes razones distintas,
No eran voces, sino ruido;
Luego, en el viento esparcidas,
No eran ruido, sino ecos
De unas confusas noticias;   150
Como aquel que oye un clarín,
Que cuando dél se retira,
Le queda por mucho rato,
Si no el ruido, la noticia.
El traidor pues en mirando   155
Que ya nadie hay quien le siga,
Que ya nadie hay que me ampare,
Porque hasta la luna misma
Ocultó entre pardas sombras,
O cruel o vengativa,   160
Aquella ¡ay de mí! prestada
Luz que del sol participa;
Pretendió ¡ay de mí otra vez
Y otras mil! con fementidas
Palabras, buscar disculpa   165
A su amor.   ¿A quién no admira
Querer de un instante a otro
Hacer la ofensa caricia?
¡Mal haya el hombre, mal haya
El hombre que solicita   170
Por fuerza ganar un alma,
Pues no advierte, pues no mira

delgado of.

Que las vitorias de amor,
No hay trofeo en que consistan,
Sino en granjear el cariño   175
De la hermosura que estiman!
Porque querer sin el alma
Una hermosura ofendida
Es querer una belleza
Hermosa, pero no viva.   180
¡Qué ruegos, qué sentimientos
Ya de humilde, ya de altiva,
No le dije! Pero en vano,
Pues (calle aquí la voz mía)
Soberbio (enmudezca el llanto)   185
Atrevido (el pecho gima)
Descortés (lloren los ojos)
Fiero (ensordezca la envidia)
Tirano (falte el aliento)
Osado (luto me vista) ...   190
Y si lo que la voz yerra,
Tal vez el acción explica,
De vergüenza cubro el rostro,
De empacho lloro ofendida,
De rabia tuerzo las manos,   195
El pecho rompo de ira.
Entiende tú las acciones,
Pues no hay voces que lo digan;
Baste decir que a las quejas
De los vientos repetidas,   200
En que ya no pedía al cielo
Socorro, sino justicia,
Salió el alba, y con el alba,
Trayendo la luz por guía,

Sentí ruido entre unas ramas: 205
Vuelvo a mirar quién sería,
Y veo a mi hermano.   ¡Ay cielos!
¿Cuándo, cuándo ¡ha suerte impía!
Llegaron a un desdichado
Los favores con más prisa?   210
Él a la dudosa luz,
Que, si no alumbra, ilumina,
Reconoce el daño, antes
Que ninguno se le diga;
Que son linces los pesares,   215
Que penetran con la vista.
Sin hablar palabra, saca
El acero que aquel día
Le ceñiste: el Capitán,
Que el tardo socorro mira   220
En mi favor, contra el suyo
Saca la blanca cuchilla:
Cierra el uno con el otro;
Éste repara, aquél tira;
Y yo, en tanto que los dos   225
Generosamente lidian,
Viendo temerosa y triste,
Que mi hermano no sabía
Si tenía culpa o no,
Por no aventurar mi vida   230
En la disculpa, la espalda
Vuelvo, y por la entretejida
Maleza del monte huyo;
Pero no con tanta prisa,
Que no hiciese de unas ramas   235
Intrincadas celosías,

Porque deseaba, señor,
Saber lo mismo que huía.
A poco rato, mi hermano
Dió al Capitán una herida: 240
Cayó, quiso asegundarle,
Cuando los que ya venían
Buscando a su capitán,
En su venganza se incitan.
Quiere defenderse; pero   245
Viendo que era una cuadrilla,
Corre veloz: no le siguen,
Porque todos determinan
Más acudir al remedio
Que a la venganza que incitan.   250
En brazos al Capitán
Volvieron hacia la villa
Sin mirar en su delito;
Que en las penas sucedidas,
Acudir determinaron   255
Primero a la más precisa.
Yo pues que atenta miraba
Eslabonadas y asidas
Unas ansias de otras ansias,
Ciega, confusa y corrida,   260
Discurrí, bajé, corrí,
Sin luz, sin norte, sin guía,
Monte, llano y espesura,
Hasta que a tus pies rendida
Antes que me des la muerte   265
Te he contado mis desdichas.
Agora que ya las sabes,
Generosamente anima

Contra mi vida el acero,
El valor contra mi vida; 270
Que ya para que me mates,
Aquestos lazos te quitan   (*Le desata.*)
Mis manos: alguno dellos
Mi cuello infeliz oprima.
Tu hija soy, sin honra estoy 275
Y tú libre: solicita
Con mi muerte tu alabanza,
Para que de ti se diga
Que por dar vida a tu honor,
Diste la muerte a tu hija. 280

CRESPO.   Álzate, Isabel, del suelo:
No, no estés más de rodillas;
Que a no haber estos sucesos
Que atormenten y persigan,
Ociosas fueran las penas 285
Sin estimación las dichas.
Para los hombres se hicieron,
Y es menester que se impriman
Con valor dentro del pecho.
Isabel, vamos aprisa; 290
Demos la vuelta a mi casa;
Que este muchacho peligra,
Y hemos menester hacer
Diligencias exquisitas
Por saber dél y ponerle 295
En salvo.

ISABEL. (*Ap.*)   Fortuna mía,
O mucha cordura, o mucha
Cautela es ésta.

CRESPO.   Camina.
(*Vanse.*)

Calle a la entrada del pueblo.

ESCENA III

CRESPO, ISABEL

CRESPO.   ¡Vive Dios, que si la fuerza
                     Y necesidad precisa   300
                     De curarse, hizo volver
                     Al Capitán a la villa,
                     Que pienso que le está bien
                     Morirse de aquella herida,
                     Por excusarse de otra   305
                     Y otras mil! que el ansia mía
                     No ha de parar, hasta darle
                     La muerte. Ea, vamos, hija,
                     A nuestra casa.

ESCENA IV

EL ESCRIBANO. — CRESPO, ISABEL

ESCRIBANO.   ¡Oh señor
                     Pedro Crespo! dadme albricias.   310
CRESPO.   ¡Albricias! ¿De qué, Escribano?
ESCRIBANO.   El concejo aqueste día
                     Os ha hecho alcalde, y tenéis
                     Para estrena de justicia
                     Dos grandes acciones hoy: 315
                     La primera es la venida
                     Del Rey, que estará hoy aquí
                     O mañana en todo el día,
                     Según dicen; es la otra
                     Que agora han traído a la villa   320

De secreto unos soldados
A curarse con gran prisa,
A aquel capitán, que ayer
Tuvo aquí su compañia.
El no dice quién le hirió;   325
Pero si esto se averigua,
Será una gran causa.

CRESPO.   (*Ap.*) ¡Cielos!
¡Cuando vengarse imagina,
Me hace dueño de mi honor
La vara de la justicia!   330
¿Cómo podré delinquir
Yo, si en esta hora misma
Me ponen a mí por juez,
Para que otros no delincan?
Pero cosas como aquestas   335
No se ven con tanta prisa.
(*Alto*.) En extremo agradecido
Estoy a quien solicita
Honrarme.

ESCRIBANO.   Vení a la casa
Del concejo, y recibida   340
La posesión de la vara,
Haréis en la causa misma
Averiguaciones.

CRESPO.   Vamos. —
A tu casa te retira.   345

ISABEL.   ¡Duélase el cielo de mí!
Yo he de acompañarte.

CRESPO.   Hija,
Ya tenéis el padre alcalde:
Él os guardará justicia.   (*Vanse.*)

Alojamiento del Capitán.

ESCENA V

El Capitán, *con banda, como herido;* el Sargento

CAPITÁN.   Pues la herida no era nada,
            ¿Por qué me hicisteis volver   350
            Aquí?
SARGENTO.   ¿Quién pudo saber
            Lo que era antes de curada?
CAPITÁN.   Ya la cura prevenida,
            Hemos de considerar
            Que no es bien aventurar   355
            Hoy la vida por la herida.
SARGENTO.   ¿No fuera mucho peor
            Que te hubieras desangrado?
CAPITÁN.   Puesto que ya estoy curado,
            Detenernos será error.   360
            Vámonos, antes que corra
            Voz de que estamos aquí.
            ¿Están ahí los otros?
SARGENTO.   Sí.
CAPITÁN.   Pues la fuga nos socorra
            Del riesgo destos villanos;   365
            Que si se llega a saber
            Que estoy aquí, habrá de ser
            Fuerza apelar a las manos.

ESCENA VI

REBOLLEDO. — El Capitán, el Sargento

REBOLLEDO.   La justicia aquí se ha entrado.

CAPITÁN.   ¿Qué tiene que ver conmigo   370
Justicia ordinaria?

REBOLLEDO.   Digo
Que agora hasta aquí ha llegado.

CAPITÁN.   Nada me puede a mí estar
Mejor: llegando a saber
Que estoy aquí, y no temer   375
A la gente del lugar;
Que la justicia, es forzoso
Remitirme en esta tierra
A mi consejo de guerra:
Con que, aunque el lance es penoso,   380
Tengo mi seguridad.

REBOLLEDO.   Sin duda, se ha querellado
El villano.

CAPITÁN.   Eso he pensado.

ESCENA VII

CRESPO, EL ESCRIBANO, LABRADORES. — DICHOS

CRESPO. (*Dentro.*)
Todas las puertas tomad,
Y no me salga de aquí   385
Soldado que aquí estuviere;
Y al que salirse quisiere,
Matadle.

CAPITÁN.   Pues ¿cómo así
Entráis? (*Ap.*) Mas ¡qué es lo que veo!
(*Sale Pedro Crespo, con vara, y labradores.*)

CRESPO.   ¿Cómo no? A mi parecer,   390
La justicia ¿ha menester
Más licencia, a lo que creo?

CAPITÁN.   ¿La justicia?   Cuando vos
                De ayer acá lo seáis
                No tiene, si lo miráis,   395
                Que ver conmigo.
CRESPO.   Por Dios,
                Señor, que no os alteréis;
                Que sólo a una diligencia
                Vengo, con vuestra licencia,
                Aquí, y que solo os quedéis   400
                Importa.
CAPITÁN. (*Al Sargento y a Rebolledo.*)
                        Salíos de aquí.
CRESPO. (*A los labradores.*)
                Salíos vosotros también.
                    (*Ap. al Escribano.*)
                Con esos soldados ten
                Gran cuidado.
ESCRIBANO.   Harélo así.
                (*Vanse los labradores, el Sargento, Rebolledo y
                            el Escribano.*)

                    ESCENA VIII

                CRESPO, EL CAPITÁN

CRESPO.   Ya que yo, como justicia,   405
                Me valí de su respeto
                Para obligaros a oírme,
                La vara a esta parte dejo,
                Y como un hombre no más
                Deciros mis penas quiero.   410
                    (*Arrima la vara.*)
                Y puesto que estamos solos,

Señor Don Alvaro, hablemos
Más claramente los dos,
Sin que tantos sentimientos
Como tienen encerrados   415
En las cárceles del pecho
Acierten a quebrantar
Las prisiones del silencio.
Yo soy un hombre de bien,
Que a escoger mi nacimiento,   420
No dejara (es Dios testigo)
Un escrúpulo, un defeto
En mí, que suplir pudiera
La ambición de mi deseo.
Siempre acá entre mis iguales   425
Me he tratado con respeto:
De mí hacen estimación
El cabildo y el concejo.
Tengo muy bastante hacienda,
Porque no hay, gracias al cielo,   430
Otro labrador más rico
En todos aquestos pueblos
De la comarca; mi hija
Se ha criado, a lo que pienso,
Con la mejor opinión,   435
Virtud y recogimiento
Del mundo: tal madre tuvo:
Téngala Dios en el cielo.
Bien pienso que bastará,
Señor, para abono desto,   440
El ser rico, y no haber quien
Me murmure; ser modesto,
Y no haber quien me baldone;

Y mayormente, viviendo
En un lugar corto, donde   445
Otra falta no tenemos
Más que saber unos de otros
Las faltas y los defetos,
Y ¡pluguiera a Dios, señor,
Que se quedara en saberlos!   450
Si es muy hermosa mi hija,
Díganlo vuestros extremos ...
Aunque pudiera, al decirlo,
Con mayores sentimientos
Llorar. Señor, ya esto fué   455
Mi desdicha. — No apuremos
Toda la ponzoña al vaso;
Quédese algo al sufrimiento.
— No hemos de dejar, señor,
Salirse con todo al tiempo;   460
Algo hemos de hacer nosotros
Para encubrir sus defetos.
Éste, ya veis si es bien grande;
Pues aunque encubrirle quiero,
No puedo; que sabe Dios   465
Que a poder estar secreto
Y sepultado en mí mismo,
No viniera a lo que vengo;
Que todo esto remitiera,
Por no hablar, al sufrimiento.   470
Deseando pues remediar
Agravio tan manifiesto,
Buscar remedio a mi afrenta,
Es venganza, no es remedio;
Y vagando de uno en otro,   475

Uno solamente advierto,
Que a mí me está bien, y a vos,
No mal; y es, que desde luego
Os toméis toda mi hacienda,
Sin que para mi sustento   480
Ni el de mi hijo (a quien yo
Traeré a echar a los pies vuestros)
Reserve un maravedí,
Sino quedarnos pidiendo
Limosna, cuando no haya   485
Otro camino, otro medio
Con que poder sustentarnos.
Y si queréis desde luego
Poner una S y un clavo
Hoy a los dos y vendernos,   490
Será aquesta cantidad
Más del dote que os ofrezco.
Restaurad una opinión
Que habéis quitado.   No creo
Que desluzcáis vuestro honor,   495
Porque los merecimientos
Que vuestros hijos, señor,
Perdieren por ser mis nietos,
Ganarán con más ventaja,
Señor, por ser hijos vuestros.   500
En Castilla, el refrán dice
Que el caballo (y es lo cierto)
Lleva la silla. — Mirad   (*De rodillas.*)
Que a vuestros pies os lo ruego
De rodillas, y llorando   505
Sobre estas canas, que el pecho,
Viendo nieve y agua, piensa

Que se me están derritiendo.
¿Qué os pido?   Un honor os pido,
Que me quitasteis vos mesmo;   510
Y con ser mío, parece,
Según os le estoy pidiendo
Con humildad, que no es mío
Lo que os pido, sino vuestro.
Mirad que puedo tomarle   515
Por mis manos, y no quiero,
Sino que vos me le deis.

CAPITÁN.   Ya me falta el sufrimiento.
Viejo cansado y prolijo,
Agradeced que no os doy   520
La muerte a mis manos hoy,
Por vos y por vuestro hijo;
Porque quiero que debáis
No andar con vos más cruel,
A la beldad de Isabel.   525
Si vengar solicitáis
Por armas vuestra opinión,
Poco tengo que temer;
Si por justicia ha de ser,
No tenéis jurisdición.   530

CRESPO.   ¿Que, en fin, no os mueve mi llanto?

CAPITÁN.   Llantos no se han de creer
De viejo, niño y mujer.

CRESPO.   ¡Que no pueda dolor tanto
Mereceros un consuelo!   535

CAPITÁN.   ¿Qué más consuelo queréis,
Pues con la vida volvéis?

CRESPO.   Mirad que echado en el suelo,
Mi honor a voces os pido.

CAPITÁN.	¡Qué enfado!
CRESPO.	Mirad que soy 540
	Alcalde en Zalamea hoy.
CAPITÁN.	Sobre mí no habéis tenido
	Jurisdición: el consejo
	De guerra enviará por mí.
CRESPO.	¿En eso os resolvéis?
CAPITÁN.	Sí, 545
	Caduco y cansado viejo.
CRESPO	¿No hay remedio?
CAPITÁN.	El de callar
	Es el mejor para vos.
CRESPO.	¿No otro?
CAPITÁN.	No.
CRESPO.	Juro a Dios,
	Que me lo habéis de pagar. — 550
	¡Hola! (*Levántase y toma la vara.*)

✳ ESCENA IX

LABRADORES. — CRESPO, EL CAPITÁN

ESCRIBANO.	(*Dentro.*) ¡Señor!
CAPITÁN.	(*Ap.*) ¿Qué querrán
	Estos villanos hacer?
	(*Salen los labradores.*)
ESCRIBANO.	¿Qué es lo que manda?
CRESPO.	Prender
	Mando al señor Capitán.
CAPITÁN.	¡Buenos son vuestros extremos! 555
	Con un hombre como yo,
	Y en servicio del Rey, no
	Se puede hacer.

CRESPO.   Probaremos.
De aquí, si no es preso o muerto,
No saldréis.

CAPITÁN.   Yo os apercibo   560
Que soy un capitán vivo.

CRESPO.   ¿Soy yo acaso alcalde muerto?
Daos al instante a prisión.

CAPITÁN.   No me puedo defender:
Fuerza es dejarme prender.   565
Al Rey desta sinrazón
Me quejaré.

CRESPO.   Yo también
De esotra: — y aun bien que está
Cerca de aquí, y nos oirá
A los dos. — Dejar es bien   570
Esa espada.

CAPITÁN.   No es acción
Que . . .

CRESPO.   ¿Cómo no, si vais preso?

CAPITÁN.   Tratad con respeto . . .

CRESPO.   Eso
Está muy puesto en razón.
Con respeto le llevad   575
A las casas, en efeto,
Del concejo; y con respeto
Un par de grillos le echad
Y una cadena; y tened,
Con respeto, gran cuidado   580
Que no hable a ningún soldado;
Y a los dos también poned
En la cárcel; que es razón,
Y aparte, porque después,

	Con respeto, a todos tres	585
	Les tomen la confesión.	
	Y aquí para entre los dos,	
	Si hallo harto paño, en efeto,	
	Con muchísimo respeto	
	Os he de ahorcar, juro a Dios.	590
CAPITÁN.	¡Ha villanos con poder!	

(*Vanse los labradores con el Capitán.*)

ESCENA X

REBOLLEDO, LA CHISPA, EL ESCRIBANO. — CRESPO

ESCRIBANO.	Este paje, este soldado	
	Son a los que mi cuidado	
	Sólo ha podido prender;	
	Que otro se puso en huída.	595
CRESPO.	Éste el pícaro es que canta:	
	Con un paso de garganta	
	No ha de hacer otro en su vida.	
REBOLLEDO.	¿Pues qué delito es, señor,	
	El cantar?	
CRESPO.	Que es virtud siento,	600
	Y tanto, que un instrumento	
	Tengo en que cantéis mejor.	
	Resolveos a decir . . .	
REBOLLEDO.	¿Qué?	
CRESPO.	Cuanto anoche pasó.	
REBOLLEDO.	Tu hija mejor que yo	605
	Lo sabe.	
CRESPO.	O has de morir.	
CHISPA.	(*Ap. a él.*)	
	Rebolledo, determina	

Negarlo punto por punto:
Serás, si niegas, asunto
Para una jacarandina   610
Que cantaré.

CRESPO.   A vos después
¿Quién otra os ha de cantar?

CHISPA.   A mí no me pueden dar
Tormento.

CRESPO.   Sepamos, pues,
¿Por qué?

CHISPA.   Esto es cosa asentada   615
Y que no hay ley que tal mande.

CRESPO.   ¿Qué causa tenéis?

CHISPA.   Bien grande.

CRESPO.   Decid, ¿cuál?

CHISPA.   Estoy preñada.

CRESPO.   ¿Hay cosa más atrevida?
Más la cólera me inquieta.   620
¿No sois paje de jineta?

CHISPA.   No, señor, sino de brida.

CRESPO.   Resolveos a decir
Vuestros dichos.

CHISPA.   Sí diremos
Y aun más de lo que sabemos;   625
Que peor será morir.

CRESPO.   Eso excusará a los dos
Del tormento.

CHISPA.   Si es así,
Pues para cantar nací,
He de cantar, vive Dios.   630
(Canta.)   Tormento me quieren dar.

REBOLLEDO. (Canta.)   ¿Y qué quieren darme a mí?

CRESPO.   ¿Qué hacéis?
CHISPA.   Templar desde aquí,
Pues que vamos a cantar.   (*Vanse.*)

Sala en casa de Crespo.

ESCENA XI

JUAN

Desde que al traidor herí	635
En el monte, desde que	
Riñendo con él, porque,	
Llegaron tantos, volví	
La espalda, el monte he corrido,	
La espesura he penetrado,	640
Y a mi hermana no he encontrado.	
En efeto, me he atrevido	
A venirme hasta el lugar	
Y entrar dentro de mi casa,	
Donde todo lo que pasa	645
A mi padre he de contar.	
Veré lo que me aconseja	
Que haga ¡cielos! en favor	
De mi vida y de mi honor.	

ESCENA XII

INÉS, ISABEL, *muy triste.* — JUAN

INÉS.   Tanto sentimiento deja;   650
Que vivir tan afligida,
No es vivir, matarte es.

ISABEL.	¿Pues quién te ha dicho ¡ay Inés!
	Que no aborrezco la vida?
JUAN.	Diré a mi padre . . . (*Ap.* ¡Ay de mí! 655
	¿No es ésta Isabel? Es llano.
	Pues ¿qué espero?) (*Saca la daga.*)
INÉS.	¡Primo!
ISABEL.	¡Hermano!
	¿Qué intentas?
JUAN.	Vengar así
	La ocasión en que hoy has puesto
	Mi vida y mi honor.
ISABEL.	Advierte . . . 660
JUAN.	¡Tengo de darte la muerte,
	Viven los cielos!

ESCENA XIII

CRESPO, LABRADORES. — DICHOS

CRESPO.	¿Qué es esto?
JUAN.	Es satisfacer, señor,
	Una injuria, y es vengar
	Una ofensa y castigar . . . 665
CRESPO.	Basta, basta; que es error
	Que os atrevéis a venir . . .
JUAN.	¿Qué es lo que mirando estoy?
	(*Viendo la vara.*)
CRESPO.	Delante así de mí hoy,
	Acabando ahora de herir 670
	En el monte un capitán.
JUAN.	Señor, si le hice esa ofensa,
	Que fué en honrada defensa,
	De tu honor . . .

CRESPO.   Ea, basta, Juan. —
                   Hola, llevadle también,   675
                   Preso.

JUAN.   ¿A tu hijo, señor,
                   Tratas con tanto rigor?

CRESPO.   Y aun a mi padre también
                   Con tal rigor le tratara.
                   (*Ap.* Aquesto es asegurar   680
                   Su vida, y han de pensar
                   Que es la justicia más rara
                   Del mundo.)

JUAN.   Escucha por qué,
                   Habiendo un traidor herido,
                   A mi hermana he pretendido   685
                   Matar también.

CRESPO.   Ya lo sé;
                   Pero no basta sabello
                   Yo como yo; que ha de ser
                   Como alcalde, y he de hacer
                   Información sobre ello.   690
                   Y hasta que conste qué culpa
                   Te resulta del proceso,
                   Tengo de tenerte preso.
                   (*Ap.* Yo le hallaré la disculpa.)

JUAN.   Nadie entender solicita   695
                   Tu fin, pues sin honra ya,
                   Prendes a quien te la da,
                   Guardando a quien te la quita.
                        (*Llévanle preso.*)

ESCENA XIV

CRESPO, ISABEL, INÉS

CRESPO.	Isabel, entra a firmar	
	Esta querella que has dado	700
	Contra aquel que te ha injuriado.	
ISABEL.	¡Tú, que quisiste ocultar	
	Nuestra ofensa eres agora	
	Quien más trata publicarla!	
	Pues no consigues vengarla.	705
	Consigue el callarla agora.	
CRESPO.	No: ya que como quisiera	
	Me quita esta obligación	
	Satisfacer mi opinión,	
	Ha de ser desta manera. (*Vase Isabel.*)	710
	Inés, pon ahí esa vara;	
	Pues que por bien no ha querido	
	Ver el caso concluido,	
	Querrá por mal. (*Vase Inés.*)	

ESCENA XV

DON LOPE, SOLDADOS. — CRESPO

DON LOPE.	(*Dentro.*) Pára, pára.	
CRESPO.	¿Qué es aquesto? ¿Quién, quién hoy	715
	Se apea en mi casa así?	
	Pero ¿quién se ha entrado aquí?	
	(*Salen Don Lope y soldados.*)	
DON LOPE.	¡Oh Pedro Crespo! Yo soy;	
	Que volviendo a este lugar	
	De la mitad del camino	720

(Donde me trae, imagino,
Un grandísimo pesar),
No era bien ir a apearme
A otra parte, siendo vos
Tan mi amigo.

CRESPO.   Guárdeos Dios;   725
Que siempre tratáis de honrarme.

DON LOPE. Vuestro hijo no ha parecido
Por allá.

CRESPO.   Presto sabréis
La ocasión: la que tenéis,
Señor, de haberos venido,   730
Me haced merced de contar;
Que venís mortal, señor.

DON LOPE. La desvergüenza es mayor
Que se puede imaginar.
Es el mayor desatino   735
Que hombre ninguno intentó.
Un soldado me alcanzó
Y me dijo en el camino...
— Que estoy perdido, os confieso,
De cólera.

CRESPO.   Proseguí.   740

DON LOPE. Que un alcaldillo de aquí
Al Capitán tiene preso. —
Y ¡voto a Dios! no he sentido
En toda aquesta jornada
Esta pierna excomulgada,   745
Sino es hoy, que me ha impedido
El no haber antes llegado
Donde el castigo le dé.
¡Voto a Jesucristo, que

	Al grande desvergonzado	750
	A palos le he de matar!	
CRESPO.	Pues habéis venido en balde,	
	Porque pienso que el alcalde	
	No se los dejará dar.	
DON LOPE.	Pues dárselos, sin que deje	755
	Dárselos.	
CRESPO.	Malo lo veo;	
	Ni que haya en el mundo creo	
	Quien tan mal os aconseje.	
	¿Sabéis por qué le prendió?	
DON LOPE.	No; más sea lo que fuere,	760
	Justicia la parte espere	
	De mí; que tambien sé yo	
	Degollar, si es necesario.	
CRESPO.	Vos no debéis de alcanzar,	
	Señor, lo que en un lugar	765
	Es un alcalde ordinario.	
DON LOPE.	¿Será más de un villanote?	
CRESPO.	Un villanote será,	
	Que si cabezudo da	
	En que ha de darle garrote,	770
	Par Dios, se salga con ello.	
DON LOPE.	No se saldrá tal, par Dios;	
	Y si por ventura vos,	
	Si sale o no, queréis vello,	
	Decidme dó vive o no.	775
CRESPO.	Bien cerca vive de aquí.	
DON LOPE.	Pues a decirme vení	
	Quién es el alcalde.	
CRESPO.	Yo.	
DON LOPE.	¡Voto a Dios, que lo sospecho! . . .	

CRESPO.	¡Voto a Dios, como os lo he dicho!	780
DON LOPE.	Pues, Crespo, lo dicho dicho.	
CRESPO.	Pues, señor, lo hecho hecho.	
DON LOPE.	Yo por el preso he venido,	
	Y a castigar este exceso.	
CRESPO.	Yo acá le tengo preso	785
	Por lo que acá ha sucedido.	
DON LOPE.	¿Vos sabéis que a servir pasa	
	Al Rey, y soy su juez yo?	
CRESPO.	¿Vos sabéis que me robó	
	A mi hija de mi casa?	790
DON LOPE.	¿Vos sabéis que mi valor	
	Dueño desta causa ha sido?	
CRESPO.	¿Vos sabéis cómo atrevido	
	Robó en un monte mi honor?	
DON LOPE.	¿Vos sabéis cuánto os prefiere	795
	El cargo que he gobernado?	
CRESPO.	¿Vos sabéis que le he rogado	
	Con la paz y no la quiere?	
DON LOPE.	Que os entráis, es bien se arguya,	
	En otra jurisdición.	800
CRESPO.	Él se me entró en mi opinión,	
	Sin ser jurisdición suya.	
DON LOPE.	Yo sabré os satisfacer,	
	Obligándome a la paga.	
CRESPO.	Jamas pedí a nadie que haga	805
	Lo que yo me puedo hacer.	
DON LOPE.	Yo me he de llevar el preso.	
	Yo estoy en ello empeñado.	
CRESPO.	Yo por acá he sustanciado	
	El proceso.	
DON LOPE.	¿Qué es proceso?	810

CRESPO.	Unos pliegos de papel
	Que voy juntando, en razón
	De hacer la averiguación
	De la causa.
DON LOPE.	Iré por él
	A la cárcel.
CRESPO.	No embarazo 815
	Que vais: sólo se repare,
	Que hay orden, que al que llegare
	Le den un arcabuzazo.
DON LOPE.	Como a esas balas estoy
	Enseñado yo a esperar. 820
	(Mas no se ha de aventurar
	Nada en el acción de hoy.)
	Hola, soldado, id volando,
	Y a todas las compañías
	Que alojadas estos días 825
	Han estado y van marchando,
	Decid que bien ordenadas
	Lleguen aquí en escuadrones,
	Con balas en los cañones
	Y con las cuerdas caladas. 830
UN SOLDADO.	No fué menester llamar
	La gente; que habiendo oído
	Aquesto que ha sucedido,
	Se han entrado en el lugar.
DON LOPE.	Pues voto a Dios, que he de ver 835
	Si me dan el preso o no.
CRESPO.	Pues voto a Dios, que antes yo
	Haré lo que se ha de hacer. (*Vanse.*)

Sala de la cárcel

ESCENA XVI

Don Lope, el Escribano, Soldados,
Crespo, *todos dentro* (*Suenan cajas.*)

Don Lope.	Esta es la cárcel, soldados,
	Adonde está el Capitán: 840
	Si no os le dan, al momento
	Poned fuego y la abrasad,
	Y si se pone en defensa
	El lugar, todo el lugar.
Escribano.	Ya, aunque rompan la cárcel, 845
	No le darán libertad.
Soldados.	Mueran aquestos villanos.
Crespo.	¿Que mueran? Pues ¿qué? ¿no hay más?
Don Lope.	Socorro les ha venido.
	Romped la cárcel: llegad, 850
	Romped la puerta.

ESCENA XVII

Salen los Soldados *y* Don Lope *por un lado; y por
otro* el Rey, Crespo, Labradores *y*
Acompañamiento

Rey.	¿Qué es esto?
	Pues ¡desta manera estáis
	Viniendo yo!
Don Lope.	Esta es, señor
	La mayor temeridad
	De un villano, que vió el mundo; 855
	Y, vive Dios, que a no entrar

En el lugar tan aprisa,
Señor, vuestra Majestad,
Que había de hallar luminarias
Puestas por todo el lugar.   860

REY.   ¿Qué ha sucedido?

DON LOPE.   Un alcalde
Ha prendido un capitán,
Y viniendo yo por él,
No le quieren entregar.

REY.   ¿Quién es el alcalde?

CRESPO.   Yo.   865

REY.   ¿Y qué disculpa me dais?

CRESPO.   Este proceso, en que bien
Probado el delito está,
Digno de muerte, por ser
Una doncella robar,   870
Forzarla en un despoblado,
Y no quererse casar
Con ella, habiendo su padre
Rogádole con la paz.

DON LOPE.   Éste es el alcalde, y es   875
Su padre.

CRESPO.   No importa en tal
Caso, porque si un extraño
Se viniera a querellar,
¿No había de hacer justicia?
Sí: pues ¿qué más se me da   880
Hacer por mi hija lo mismo
Que hiciera por los demás?
Fuera de que, como he preso
Un hijo mío, es verdad
Que no escuchara a mi hija,   885

Pues era la sangre igual[1] . . .
Mírese si está bien hecha
La causa, miren si hay
Quien diga que yo haya hecho
En ella alguna maldad,   890
Si he inducido algún testigo,
Si está algo escrito demás
De lo que he dicho, y entonces
Me den muerte.

REY.   Bien está
Sustanciado; pero vos   895
No tenéis autoridad
De ejecutar la sentencia
Que toca a otro tribunal.
Allá hay justicia, y así
Remitid el preso.

CRESPO.   Mal   900
Podré, señor, remitirle.
Porque como por acá
No hay más que sola una audiencia, —
Cualquier sentencia que hay,
La ejecuta ella, y así   905
Ésta ejecutada está.

REY.   ¿Qué decís?
CRESPO.   Si no creéis
Que es esto, señor, verdad,
Volved los ojos, y vedlo.
Aqueste es el Capitán.   910
(*Abren una puerta, y aparece dado garrote
en una silla el Capitán.*)

[1] "Ha de faltar algo: en otros muchos pasajes de la comedia creemos
que sucede lo mismo, o que está viciado el texto." Hartzenbusch.

REY.   Pues ¿cómo así os atrevisteis? ...
CRESPO.   Vos habéis dicho que está
            Bien dada aquesta sentencia:
            Luego esto no está hecho mal.
REY.   El consejo ¿no supiera   915
            La sentencia ejecutar?
CRESPO.   Toda la justicia vuestra
            Es sólo un cuerpo no más:
            Si este tiene muchas manos,
            Decid, ¿qué más se me da   920
            Matar con aquésta un hombre,
            Que estotra había de matar?
            Y ¿qué importa errar lo menos,
            Quien acertó lo demás?
REY.   Pues ya que aquesto sea así,   925
            ¿Por qué, como a capitán
            Y caballero, no hicisteis
            Degollarle?
CRESPO.   ¿Eso dudáis?
            Señor, como los hidalgos
            Viven tan bien por acá,   930
            El verdugo que tenemos,
            No ha aprendido a degollar.
            Y esa es querella del muerto,
            Que toca a su autoridad,
            Y hasta que él mismo se queje,   935
            No les toca a los demás.
REY.   Don Lope, aquesto ya es hecho.
            Bien dada la muerte está;
            Que no importa errar lo menos,
            Quien acertó lo demás.   940
            Aquí no quede soldado

	Ninguno, y haced marchar	
	Con brevedad; que me importa	
	Llegar presto a Portugal. —	
	Vos, por alcalde perpetuo	945
	De aquesta villa os quedad.	
CRESPO.	Sólo vos a la justicia	
	Tanto supierais honrar.	

(*Vase el Rey y el acompañamiento.*)

DON LOPE.	Agradeced al buen tiempo	
	Que llegó su majestad.	950
CRESPO.	Par Dios, aunque no llegara,	
	No tenía remedio ya.	
DON LOPE.	¿No fuera mejor hablarme,	
	Dando el preso, y remediar	
	El honor de vuestra hija?	955
CRESPO.	Un convento tiene ya	
	Elegido y tiene esposo,	
	Que no mira en calidad.	
DON LOPE.	Pues dadme los demás presos.	
CRESPO.	Al momento los sacad.	960

(*Vase el Escribano.*)

ESCENA XVIII

REBOLLEDO, LA CHISPA; SOLDADOS; *después*, JUAN. —
DON LOPE, CRESPO, SOLDADOS *y* LABRADORES

DON LOPE.	Vuestro hijo falta, porque	
	Siendo mi soldado ya,	
	No ha de quedar preso.	
CRESPO.	Quiero	
	También, señor, castigar	

El desacato que tuvo   965
De herir a su capitán;
Que aunque es verdad que su honor
A esto le pudo obligar,
De otra manera pudiera.

DON LOPE.   Pedro Crespo, bien está.   970
Llamadle.

CRESPO.   Ya él está aquí.
(*Sale Juan.*)

JUAN.   Las plantas, señor, me dad;
Que a ser vuestro esclavo iré.

REBOLLEDO.   Yo no pienso ya cantar
En mi vida.

CHISPA.   Pues yo sí,   975
Cuantas veces a mirar
Llegue el pasado instrumento.

CRESPO.   Con que fin el autor da
A esta historia verdadera:
Los defetos perdonad.   980

NOTES

[Thanks for criticism and suggestions are due to Professor Milton A. Buchanan of Toronto University, Mr. Joel Hatheway and Mr. Edward Berger-Soler, of the High School of Commerce, Boston, and to Civil Engineer M. J. Lorente of Lynn, Massachusetts.]
H = Hartzenbusch.   K = Krenkel.

PERSONAS

El rey Felipe II (1527–1598); Philip II, son of the Emperor Charles V and Isabella of Portugal, was born at Valladolid and died at the Escurial. Throughout his reign of forty-two years (1556–1598) his aim was to restore the Roman Catholic religion to the Protestant countries of Europe and to introduce a uniform and despotic form of government throughout his diversified dominions.

The striking incidents of his reign are the successful revolt of the Netherlands (1567), the brilliant naval victory of his half brother Don Juan of Austria, gained over the Turks at Lepanto, October 7, 1571, the annexation of Portugal in 1580 with the accomplishment of which the events in the *Alcalde de Zalamea* are connected, and the unsuccessful expedition against England in 1588, known in history as that of the Invincible Armada. During his reign, Spain outwardly kept her place as the leading country of Europe but rapidly declined under his successors. Cf. Introduction II, III, XIX.

Don Lope de Figueroa, a famous general of the time of Philip II. He served in many important undertakings and battles of the period, notably under Don Juan of Austria, upon whose flagship he was at the battle of Lepanto (1571) where he was wounded. He was sent to Madrid, carrying the dispatches announcing the victory, and bore with him the green standard of the galley of the Turkish admiral. Cf. Introduction XXVI, XXVII, XXVIII.

La Chispa; the feminine article is common before Christian names of women, in familiar speech, — cf. *la Chillona* (II, 431) — but not in the vocative (II, 157). The common noun *chispa* means a spark, and is suggestive of the character of the one playing the rôle of *La Chispa*, sparkling, lively, vivacious. The characters portrayed in a lighter vein in Spanish plays are frequently named from common nouns suggesting the rôle; cf. Ariel in the *Tempest;* Shallow, Pistol, etc., in *Henry IV;* the ruffians in Goethe's *Faust*, Part II, Raufebold, Hahebald, Haltefest; the canteen woman Eileheute. Goethe was profoundly interested in and influenced by Calderón. Moreover in Wycherly's *Love in a Word*, such names may be noted as Gripe, Addleplot, Dapperivit and Flippant. Here again the influence of Spanish writers is conceivable. It is only fair, however, to state that some modern scholars question the influence of the very early Spanish drama on Shakespeare, and consider the influence of Calderón on Goethe as exaggerated, and that Goethe was not influenced by Calderón in naming the ruffians.

Rebolledo; the common noun **rebolledo** = *an oak grove* has here no obvious relevancy. The intensive particle *re* (as in *re + bueno* = doubly good and [¡ *re + viva* ! v. 89] *re + bollecer* = *meter bulla o ruido*), on the other hand, does suit the character admirably. Just as *La Chispa* and *Rebolledo*, the characters drawn less seriously, correspond and accompany each other, the names of these characters are analagous in that they indicate the respective rôles of the characters. Krenkel suggests that the name *Rebolledo* was chosen possibly because of its resemblance in sound to *rebolludo* = *rehecho y doble*, ' doubly strong and firm ' (cf. ' Hearts of Oak,' ' Old Hickory '). Zerolo gives the origin of *rebolludo: de rebollo*, and *rebollo:* L. *robur* = Sp. *roble*, ' an oak tree.' The character partakes rather of *bulla*, ' noise and bluster,' than *rebollo*, ' such sturdy strength as that of the trunk of the oak.'

Zalamea, name of a small town, the scene of the play, in the old province of Estremadura (now comprised in those of Badájoz and Cáceres) in southwestern Spain, about 74 miles E. S. E. of Badajoz. It is also known as *Zalamea de la Serena*, and as such is distinguished from *Zalamea la Real*, in the province farther south of Huelva. It now has some 4700 inhabitants, and produces fruits, oil, and cereals. Its most remarkable monument is the tower of the parish church (cf. vv. I, 117, 120) *Nuestra Señora de los Milagros*, which was built partly from portions of a memorial to the emperor Trajan dating back to the year 103.

PRIMERA JORNADA

5. **¿ Somos gitanos aquí?** At the time of the play roving bands of Gipsies were familiar sights to the Spaniards, as may be easily divined from Cervantes' novel *La gitanilla* and his play *Pedro de Urdemalas*. K.

7-8. **Una arrollada bandera . . . ;** the banner is borne unfurled, *desplegada*, when necessary to encourage the troops, as on a hard march or in battle; otherwise, it is customary to have it borne as here *arrollada*.

20. **pues es cierto llegar luego . . . ,** ' for it is certain to come immediately to the quartermaster the mayors to say,' i.e., *for you can count on the coming of the mayors to the quartermaster to say . . .*

25-29. **Responderles** (v. 25) and **Decir** (v. 29) may be construed with **es cierto** (**llegar**), but they are better taken as historical infinitives in rapid narration: *the former* (the quartermaster) *will* (begin to) *reply to them . . . he will* (undertake to) *say . . .*

32-33. **Y nosotros . . . a obedecer,** *and we* (set out) *to obey* (historical infinitive; cf. preceding note).

35-36. **Para él orden monacal, Y para mí mendicante;** word play on *orden*, ' command,' ' order ' (v. 34) and *orden*, ' monastic or Friar's order.' The monastic orders were wealthy; the begging, or mendicant Friar's orders, notoriously poor. The quartermaster reaps such benefits as do the monastic orders, while the soldiers suffer the lot of the mendicant Friars.

64. **Que viene tras la persona;** Rebolledo means behind his own important person; *persona* in picaresque parlance, or rather in slang, is used thus. K.

76. **regidor;** in every city, town, and village there was either an *alcalde* or ' mayor ' of the town, or an officer that corresponded known by the terms, *corregidor*, *regidor* (from *regir*, ' to

direct,' 'govern.' These officers were the official presidents of the municipal body.

80. Mesa franca con el mes (word play on *mesa* and *mes*), *free lunch with the monthly pay*. Men holding positions of authority in Spain in the sixteenth century were expected to support and did maintain a great many spongers and hangers on. The higher the position, the more retainers, parasites and sycophants enjoyed "the free lunch." The Krenkel text here reads: **Menos regla con el mes**, *less regulation with the month*, i.e., *pay irregularly the monthly wages*. Such *regidores* have less *regla* than *regalos*, the result being that the servants provide for themselves bountifully by purloining in every possible way. On account of the ambiguity possible in the meaning of *regla*, the Hartzenbusch reading *mesa franca* is considered preferable for the present text.

94. una jácara o canción is the subject of **inquieta**. The speech suggests the Spanish proverb: "*Quien canta sus males espanta*" (*Don Quijote*, Part I, Chapter XXII).

95–96. Responda a esa petición Citada la castañeta; legal phraseology. Rebolledo is supposed to have summoned before a tribunal the instrument *la castañeta* (castanets) to give testimony: *let the castanets summoned to appear answer this petition*.

100. Cantan Rebolledo y la Chispa; these couplets are thought by some commentators to be genuine verses of the Spanish soldiers of the period rather than Calderón's own inventions.

105. Vaya a la guerra el alférez, *let the ensign go off to the war*. When a soldier got a permit to raise a company he appointed an ensign (*alférez*) and then the two set to work to enlist recruits.

106. Y embárquese el capitán, *and let the captain embark* (for a sea voyage). In the period of the play (1580), companies of soldiers were continually being shipped over to Italy and back to Spain. This explains the current use here of this nautical word.

131. Justo, hasta que venga, es; the *es* goes with *justo*, coming where it does at the end of the line, in order to rhyme with *pues*.

146. Guadalupe; the towns Llerena, Zalamea, Guadalupe, indicate that the troops were marching to the northward. Where they came from is not clear (cf. note to III, 944). It is possible they may have disembarked at the port of Cádiz. The expedition is connected with the events in Portugal, from whose court Philip II received the oath of allegiance April 1, 1581.

147. **el tercio;** the regiment, so named because composed of a third (*tercero*) part of the military population of a place: *tercio de Flandes, de Lombardia, de Nápoles, de Sicilia*, etc. Almirante's *Diccionario militar*, cited by Maccoll (p. 271 of his edition of the *Alcalde*) states that " the regimental system appears to have been adopted in the Spanish army in the first half of the sixteenth century... A tercio consisted at first of 3000 men, but the number was subsequently much reduced. In 1536 it consisted of ten companies of pikemen " (men armed with pikes, long spear-headed weapons) " and two of 250 men each of harquebusiers" (men having harquebuses, very primitive firearms).

159. **Huéspeda, máteme una gallina, ...;** these two verses, repeated from vv. 111–112, foreshadow, as frequently in Calderón, the catastrophe of the play. The implication is that something out of the ordinary, fowl (*gallina*), must be brought on; the usual course (*carnero*) is too ordinary. Fowls were especially esteemed by the soldiers, while mutton was considered quite commonplace. Cf. note on II, 497.

170. **Más pompa y más presunción...;** the province of León is the oldest portion of the Spanish monarchy and the first to free itself from Moorish domination. Therefore its inhabitants are particularly proud of their old Christian origin with less of Arab admixture than is possible elsewhere in the Spanish peninsula. K.

185. ¿ **Que haya en el mundo...,** (is it possible) *that there be any one in the world who can say the like of that?*

186. ¿ **Pues no, mentecato?** *Is there any one who would say the contrary, you imbecile?* *Pues no* suggests the repetition of the sergeant's question of astonishment in a negative sense.

187–190. **Hay más bien gastado rato;** the construction is loose, the idea being: *Hay mejor pasatiempo ... Que el de [ver] una villana y ver, ...* K.

214. **Que de un flaco rocinante;** *rocinante* as described by Cervantes, according to the ideas of *Don Quijote* (I, i) is as follows: "*Rocinante nombre a su parecer alto, sonoro, y significativo*

*de lo que había sido cuando fué rocín, antes de lo que ahora era,
que era antes y primero de todos los rocines del mundo.*"

217. Parece a aquel Don Quijote . . .; the First Part of
the *Don Quijote* appeared in 1605; the Second Part not until
1615. According to Gayangos, to whose work, *Cervantes en
Valladolid*, the student is referred, and an illustrative passage
from this work quoted by Maccoll (*Alcalde* I, 217) the literature
of the period proves that even before the publication of Cervantes' immortal work, the habit of comparing singular figures
to Don Quijote had begun (witness this sixteenth century allusion), and it has gone on ever since. However, reference to
Gayangos fails to corroborate this explanation and the allusion
may therefore be taken as an anachronism pure and simple.
The allusions in Calderón to the *Don Quijote* testify to its popularity. Despite the anachronism in the particular allusion here
contained, it is eminently appropriate on the lips of one of the
soldiers of Figueroa's crack regiment, the *tercio de Flandes*, inasmuch as it seems not improbable that Cervantes himself
served in that regiment in the expedition to Portugal.

225. ¿Como va el rucio? Rodado; the word play on the adjective *rodado*, 'dappled,' 'spotted' and the participle *rodado*
' pulled along ' (because the horse was so completely used up)
is thus rendered by Fitzgerald: " DON MENDO. How's the gray
horse? NUÑO. You may well call him the dun ('done')
[spotted dark brown], so screw'd he can't move a leg."

236. Cálzome palillo y guantes; see Vocabulary, *calzar;
cálzome = vistome*. It was the custom of the coxcombs of the
period to stick toothpicks in their hats or in the interstices of
a chain worn for ornament around their necks. This was supposed to produce the impression on those remarking the toothpicks that their owners had just risen from a hearty meal. K.
The toothpicks were frequently of gold, ivory, etc., and quite
valuable; cf. *Century Dictionary* under ' toothpick.'

250. Lástima da el villanaje; the nobility, or *hidalgos*, were
exempt from the burden of taking into their houses the soldiers.
They were billeted on the townspeople or peasantry.

300. Que adelgaza la hambre . . ., *that hunger sharpens the
wits.* DON MENDO. *You imbecile, am I hungry?* The feminine
article *la*, with *hambre*, is found used in Calderón texts, where

modern usage calls for *el; cf. Este ayuda* (I, 654), where a masculine demonstrative adjective is found used with a feminine noun.

305-306. **...., y no hay greda...;** the ancients had a belief
which led them to ascribe to saliva, free from food influence of
any kind for a long time, wonderful properties — of which the
text here offers an example; cf. Pliny: *Historia naturalis, lib.* 28,
§ 35. K.

312-313. **Que a un hidalgo no le hace Falta il comer,** *for a
nobleman has no absolute necessity to eat at all.* This same idea
Don Quijote expresses when he says (I, 10): "*Hágote saber, Sancho,
que es honra de los caballeros andantes no comer en un mes...*"

337. **Huelgas en Burgos;** i.e. *Santa María de las Huelgas;*
the famous Cistercian nunnery, founded by Alfonso VIII of Spain
(III of Castille, reigned 1158-1214), in memory of a notable battle with the Moors (the Almohades, an Arabian dynasty, ruling in
Spain over one hundred years). The battle is known as that of
Las Navas-de-Tolosa, in the Province of Jaén, Andalucía, and
was fought by the kings of Aragon, Castille and Navarre on
July 16, 1212 against the united Mohammedan forces under
Miramamolin Almanzor. In the reconquest of Spain, the battle
is one of the most important, and the Christian victory is celebrated by the Catholic Church in the annual feast known as
the Triumph of the Holy Cross. The daughter of Alfonso VIII,
Berenguela, retired to this convent as did many of the members
of the royal families of Spain and of the nobility. The expression *Huelgas en Burgos* appears here to be used in a general
sense: *Isn't there a [proper place] Huelgas de Burgos to put her
in when I get* (or *she gets*) *angry, without my marrying her?* Moreover there is a pun on *Huelgas en Burgos* and *huelgas* ' recrea-
tions '; cf. "*Pues le ayuno y no le huelgo.*" *La vida es sueño,*
III, 36: " For I celebrate him [Silence, personified] by fasting,
not by feasting " (*holgar*, ' to enjoy ' and ' to feast ').

344. **Aunque no he de sentarme...;** one of the many proverbs quoted by Sancho Panza of which the remaining half is
here added. (*Don Quijote*, Part II, 29): "*Haz lo que tu amo te
manda y siéntate con él a la mesa,*" freely: ' A good servant need
not fear his master's presence.'

345-346. **Es propio De los que sirven, refranes;** see Vocabulary, *refrán;* there is word play on the sense of *refranes;*

'proverbs,' 'refrains,' 'sayings,' and *tener muchos refranes para todo = tener salidas o pretextos para cualquiera cosa*. Don Quijote gives vent on more than one occasion to the annoyance he experiences because of Sancho Panza's constant use of proverbs: "*¡O maldito seas, Sancho . . . sesenta mil satanases te lleven a ti y tus refranes*," etc. (II, 43) and "*¿A dónde vas a parar, Sancho? que seas maldito . . . que cuando comienzas a ensartar refranes y cuentos no te puede esperar sino el mismo Judas, que te lleve*" (II, 19): "Where are you going to bring up, plague take you, Sancho, for when once you take to stringing proverbs and sayings together, no one can understand you but Judas himself, and I wish he had you."

349. **Dí que por el bello oriente;** the obviously ridiculous grandiloquent language here used, as well as in vv. 370 *et seq.*, seems to show a disposition on the part of Calderón to poke fun at the *estilo culto*, so much in vogue at that period. K. Other scholars maintain that no attack on the *estilo culto* is intended, and that the language is simply the conventional dialogue of Spanish plays.

353-354. **Asómate a esa ventana . . .,** *look out of this window, cousin, so may God protect you* (if you do). 'Correlative' construction; the second half having no more importance than that in: "Run to the store for me, John, God bless you"; or that in: "You do that for me and I'll be your uncle, I'll dance at your wedding," etc.

386. **Más afeite que enojarse;** suggestive of the custom, very prevalent at the time, that the Spanish ladies had of painting their faces. K.

394. **Caballero andante,** *knight errant;* **aventurero** (v. 395), *champion;* **lides** (v. 396), *jousts;* **mantenedor** (v. 397), *challenger,* are all terms of knight errantry frequently used in the *Don Quijote; aventurero* is used in the sense of a knight of industry, a kind of worthless social climber, the word-play here being intentional. A genuine *champion* presents himself to the *mantenedor,* who is in duty bound obliged to meet all comers; but it is evident that a *champion,* in the sense in which Inés uses the word *aventurero,* would take no chances in presenting himself to battle with the *mantenedor.*

412. **Calzado de frente y guantes;** an example of one of the many obscurities in Calderón that defy the efforts of the com-

mentators. Krenkel quotes the meanings for *frente*, 'leather hat,' 'hat,' 'plumes,' etc., given by von der Malsburg, Gries, Damas Hinard, Latour. But the dictionaries give no such meanings for *frente*, and these renderings have every appearance of mere conjectures such as the translations, be it said not to disparage them, abound in. Krenkel suggests that possibly instead of *frente*, a two-syllable word having the meaning of *palillo* (cf. v. 236: *Cálzome palillo y guantes*) may have been originally in the text. But not knowing any such, he takes Juan's remark for facetiousness, and cites the dictionary meaning of *frente calzada*: "*la que es poco espacioso, por nacer el cabello a corta distancia de las cejas,*" — *i.e.*, 'low browed,' — but this, as regards the sense, is unsatisfactory. The *Diccionario de la Academia* gives under *calzada*, "anything that may be used to cover and disguise the foot." By gloves and boots he may disguise his hands and feet and use his *capa* to hide his face. The most natural interpretation, however, is that of natives of Castile, to whom the expression is familiar in the sense of wearing a hat drawn well down over the forehead, expressive of a kind of bravado frequently displayed by boys. For instance, a mother, chiding this kind of spirit thus paraded by her boy, will say: "Échate el sombrero más atrás que vas calzado de frente."

418. **Dios os guarde;** this conventional greeting, 'may God be with you,' is, as used by the nobleman Don Mendo to the peasant Pedro Crespo, entirely appropriate; but when used by the latter to return the former's greeting is entirely inappropriate and intentionally uncivil, on the part of the peasant towards the nobleman, a more formal expression of acknowledgment being called for. Pedro Crespo does not even use a term of address (*Señor*), as even common civility suggests.

423. **¿ De adónde bueno ?** familiar expression for *¿De adónde vienes?* and a little more polite in that it is not so bluntly put or so point blank. While asking the question, something like "What's the good word with you ?" seems also to be implied, *¿ A dónde bueno?* is analogous to *¿ A dónde vas?*

439-442. **¡ Oh, quiera Dios ... !** these verses may be said to foreshadow, somewhat faintly and remotely, the catastrophe of the play; cf. note to I, 159, for a similar prediction, — and the opposite viewpoint, that this parlance is purely conventional, no allusion whatever being intimated.

442. **O algún viento me las tale!** *or some wind blow them down; las* referring to the **parvas notables,** v. 426. The *lo,* which B. C. D. texts have, Krenkel takes to be due to the *lo* in the preceding verse. He follows the A. text, making *las* refer to the lightly built sheds. Krenkel may be right in his adhering to *las;* **las parvas notables,** to which the **las** actually refers, is so far removed (v. 426) as to account for the variations of text.

445. **A la pelota he jugado;** quite a popular pastime at this period, especially among the well-to-do middle classes, but frowned upon by the nobility. K.

456. **Más de lo que está delante,** *more than what is down on the gaming board,* or *more than you actually possess.* It is quite in keeping with Calderón's style to use the phrase in several meanings at once. Presumably such meanings are quite possible as: *Don't gamble more than you are ahead; don't go the limit, don't start, don't get into debt, don't bull your luck if you have a losing streak.*

462. **En tu vida, . . .;** a reference to the proverb: " *Dineros y no consejos.*"

479. **Y id;** *y* for *e* in this combination appears not infrequently in Calderón's plays.

513. **Enmendar su vejación;** the infinitive *enmendar* goes with *hace* in v. 510; *Gain! that he cures his discomfort.*

532. **Flandes,** *Flanders;* a tract of territory now occupied by the Netherlands. At the period of the play (1581), it was under the united Houses of Spain and Austria. — **el tercio viejo de** —; the old Flemish regiment, so-called because of the part performed by it in the campaign in Flanders rendering it one of the celebrated regiments of the time of Philip II.

597–598. **Aunque no sea De mucho ingenio . . .,** *although* (the artifice) *be not particularly ingenious, for the one* (i.e., the captain) *who sees her* (i.e., Isabel) *to-day, it will not matter.*

618–619. **Cuanto dinero tengo . . .;** legal phraseology recalling the form in vogue when taking an oath something similar to the debtor's oath. Those who made use of the formula were known as *pobres de solemnidad.* K.

624. **El juego del boliche por mi cuenta;** formerly in Spain there was in many regiments a soldier, either self-appointed or selected by the commanding officer, whose duty was to super-intend the games played by the soldiers, and whose recompense was a certain tax levied upon each player. The most popu-lar game was *el boliche,* apparently somewhat on the order of troll-madam, or pigeon holes, mentioned in *The Winter's Tale* (IV, ii). The man who had charge of the game was called the *bolichero.*

657. **Ya empieza su tronera;** word-play on the meanings of **tronera :** hole (in a game-board) and noisy rattle. ' Already his game-board hole is in commission, (his noisy jabber) begins its volley.' Possibly the word-play may impress the reader as " far-fetched." Many such are in evidence in the plays of Calderón and simply illustrate one of the traits in plays of the period, especially in the passages of lighter vein, in which the *gracioso* figures prominently.

673. **Acudid todos presto;** this speech, in the Hartzenbusch text, is assigned to Juan; but, as Krenkel points out, it is not consistent with the character of the young man, to make him call for help; it belongs rather to la Chispa. On the other hand, it may be said that the reason given by Krenkel is not sufficient for transferring this line to Chispa. She has just spoken (v. 672). On Juan's lips the utterance simply expresses alarm, not timidity. Note, moreover, Chispa's next words: vv. 675–78.

684. **Pues es templo del amor;** Hartzenbusch reads: **Puesto que es templo de amor.** The question of hiatus for gaining a syllable, if need be, is not commendable according to Morel-Fatio who lucidly discusses the question in his edition of the *Mágico prodigioso:* pp. l–lix. Cf. also III, 549 and III, 775, where the point again occurs.

705. **Hacer vos el homicidio;** cf. II, 497. The idea of the dé-nouement, in various ways, is supposed by some commentators to be intimated throughout the play; cf. note to I, 439. But, on the other hand, it may be said there is no allusion whatever to the dénouement. The lines are merely conventional for which numerous parallels may easily be cited.

707–710. **Caballero, si cortés ...,** *if, sir, through graciously* *acceding to our request* (to pardon the soldier), *you put us under a life obligation, let not your guaranty for his safety so quickly waver* (in that you make me responsible for pardoning him, which nullifies the value of the favor you have granted).

726. **Muy noble, sin duda, sois ;** the idea is (although ironical) that none but a high born *caballero* could so quickly forget his vexation. Consequently, the captain must be of noble lineage complying summarily as he does with the proverb, "*Noblesse oblige.*"

735–740. (*Ap.* ¡ Vive el cielo ... Y no ha de ser); in the opinion of Krenkel, this entire *aparte* is in the wrong place, and probably should be assigned to Crespo. There does not seem to be adequate reason to assign these verses to Juan, while the appropriateness of Crespo's uttering them is more apparent. Juan would then come in with v. 740.

752. **Y el de su respeto yo,** *and I* (esteem equally the favor of) *his respect* (for her).

762. **Como quisiere, y vos no ;** Hartzenbusch reads: **Como quisiere, y no vos.** This appears to be the better reading because of *no* in v. 764. Such rhymes are not allowable.

776. **Ojo, avizor ;** the sense appears to be as explained in the Vocabulary. The text of Hartzenbusch has: **Ojo, avizor** (i.e., a comma between the two words). *Avizor,* as a noun according to the Donadíu and Puignau *Diccionario:* — "*El que acecha lo que pasa, para advertirlo a sus compañeros:*" '(An) eye (open), watch,' *i.e., lookout, watch.* Taking Chispa as the one on guard the ' watch,' *avizor,* as a noun, with the punctuation as here given, this interpretation seems quite possible. When used as an adjective, the dictionaries define *ojo avizor* (without the comma between the two words) as noted in the Vocabulary: ' a sharp lookout.' *Ojo* alone is frequently found used as a call in the sense of ' watch out '; *ojo avizor* (without the comma between) = *alerta, con cuidado,* ' look out,' ' take care.' This is the reading in Krenkel's edition of the play and is supported by the *Academy Dictionary.*

788. **Eche por un corredor ;** the verb *eche,* in the subjunctive, depends on some expression understood as: *juro;* so too, in II, 36–37: " *Si por el honor no fuera De Isabel,* [*juro*] *que le matara.*"

789. ¿ **No me basta haber subido . . .**, *isn't it enough for me to have climbed clear up here in spite of the pain in this leg, would that the devils had carried it off, amen (per omnia sæcula sæculorum) without* (in addition) *your not telling what's been the matter?* Modern and ancient literature cites many examples of famous generals who suffered from Lope's complaint, the gout — among them Septimius Severus, Alba, and the Swedish general, Torstenso(h)n. The **–no** of **sino** (v. 792) must be stressed and counts for two syllables.

815. **Denle dos tratos de cuerda;** the punishment consisted in tying the hands of the culprit behind him, and hoisting him up by means of a rope passed through a pulley overhead and fastened to his arms. When once pulled up, the victim was let down with a jerk and the body was left dangling.

816. **Tra-qué han de darme, señor?** word-play on *tratos (de cuerda)*, (cord) ' treatment ' or ' punishment,' and *tra(tos)* meaning, ' usage,' ' manner of life,' ' living,' etc., *What kind of treatment are they to give me, Sir?* It would seem that Rebolledo starts off to say *tratos de cuerda . . . señor*, and breaks off, with the idea of getting a lighter punishment.

830. **No tuvisteis (razón) para haber . . .**, *you were not right in having exposed the town to the danger of total destruction;* that is, had Crespo and his son laid hold of the soldiers, the whole town was liable to be treated as explained in III, 841 *et seq.*, that is, burned completely.

834. **Hola, echa un bando, tambor,** *hulloa there, drummer, proclaim.* Don Lope calls from the window to the drummer who, together with the general's escort, is in attendance below awaiting his commands; cf. note to III, 823.

841. **Y vos con este disgusto;** i.e., the captain, referring to v. 745 and to v. 805.

847. **Tus preceptos;** Don Lope uses the second person plural *os* in addressing both Pedro Crespo and the captain, while the latter uses the second person singular to Don Lope, a form in modern Spanish, which aside from its regular use in the family, and between intimates, and to servants, is found only in sacred or poetical style. Cf. a like use of *tú* when Rebolledo addresses the captain, II, 149: " *la culpa, Si se entiende, será nuestra, No tuya;*" cf. notes to II, 525, III, 553, 823.

894. **No haremos migas;** the complete expression is *hacer*

buenas (or *malas*) *migas, to be on good* (or *bad*) *terms with.* The shepherds subsisted largely on oil, vinegar, and bread. With these ingredients, together with bread crumbs cooked in oil, with pepper and garlic, they compounded their *migas; buenas migas* implying capital eating, and the phrase *no haremos migas* suggesting inability to break bread together in peace, hence to get on well (cf. II, 500).

SEGUNDA JORNADA

2. **Todo esto contó Ginesa . . .;** *todo esto* refers to what took place in Pedro Crespo's house as related by the servant; see I, 583 *et seq.*

30. **A ti te dé mal de muelas;** see *muela* in Vocabulary. There appears to be word-play here between ¡ *Buenas nuevas . . .* in the preceding verse and *mal de muelas* in this verse, the play depending on the similarity of sound in the two phrases. *Dolor de muelas* is the usual expression for toothache; the meter here requires *mal de muelas*.

56. **Sobre el marco de la puerta?** It was customary to place coats of arms, shields, etc., over the main entrance doorway of a house. Nuño, with his customary facetiousness, implies that the only arms possessed by his master are those pictured in the tile over the door.

75. **En un día el solo alumbra . . .;** a passage thoroughly in the style of Calderón, in which *en un día* is repeated six times, followed at the end of the passage with its repetition twice, summing up thus the conclusion from the evidence. So in the captain's next speech (vv. 103–115) *de una vez* occurs four times and at the end, in the recapitulation, once. In their way, these two passages, although revealing mannerism, are very striking and can hardly fail to make a lasting impression. The reader has a feeling of regret that two such little gems of verse should be spoken by such a dastardly villain as the captain. The idea expressed in vv. 75–100 may be found in *Don Quijote*, II, 19.

137. **Alcaida** is not found in the dictionaries; *alcaide* is given, meaning ' governor of a castle,' ' jailer,' ' warden.' The feminine of *alcaide* is *alcaidesa*, the wife of the *alcaide*. It is not likely that Rebolledo would use as learned a form as *alcaidesa*, for

which he might substitute a seemingly more common feminine ending, as he does, *alcaida*. Moreover, this term appears to be used jocosely rather than literally, and is simply the *gracioso's* way of designating his helpmate.

140. **gira** is the older spelling in the Hartzenbusch text for more modern **jira,** which latter Krenkel adopts. The word appears to come from the Greek χαίρειν, *to rejoice, have a good time,* hence *picnic, outing.*

152. **Pase por todas mis penas;** Hartzenbusch reads: **Pase por todas mi pena,** *let my pain pass through them all* (the difficulties). This appears to be a simpler and more natural reading than that of Krenkel: *let me pass through all my pains.*

157. **Téngase,** *stand back, stay there;* this is the reading of several of the texts, while that of Hartzenbusch is: **Tenga esa,** *take that* (dagger thrust); the *esa* would seem to refer to some feminine noun: *esa* cuchillada.

161. **Sobre hacerme alicantina;** see Vocabulary, *alicantina; alicantinia* from *Alicante,* a town in S. E. Spain, in the old province of Valencia. The people of Alicante had the reputation of cheating. Chispa looked after the game, as she says, to see whether the ball-throws resulted in " odd " or " even," and the gambler tried to cheat her out of her dues for attendance of an hour and a half.

167. **Mientras que con el barbero, . . .;** in those days, barbers usually were ready to perform the duties of surgeons. The modern barber's pole with its painted stripes is a relic recalling the sign of the bloodletter, or surgeon, of former times. The blood drawn trickled over a board which was used as a surgeon's signboard. Later the blood streaks were imitated by painting red stripes alternating with the white stripes of the sign. According to Krenkel, there is word-play on *puntos.* **Poniéndose en puntos con el barbero,** *while he is having it out with the barber in points, stitches;* ' points ' that you win in cards or dice; ' stitches ' that the barber or surgeon takes in sewing up the wound made by Chispa; cf. II, 596. *Ponerse con* is usually used with *bien* = ' to propitiate,' or with *mal* = ' to get on bad terms with.'

187. **los días de agosto, No tienen más recompensa Que sus noches;** the summer days in southern Spain are well-nigh un-

endurable because of the intolerable heat, redeemed in a measure, however, by nights that are comparatively cool.

193. **que el viento suave . . .**, *for the gentle breeze that rustles in the tender leaves of these vines and boughs makes a thousand pleasant murmurings keeping time with this fountain, a zither of silver and pearls, because the pebbles are chords attuned on frets of gold* (the larger pebbles being the fret for attuning the river bed, all composed of small pebbles). Crespo delicately implies that he cannot furnish Don Lope with such vocal and instrumental music as the society people of the time were in the habit of having at the evening meal, and he must substitute such natural means as are at hand. The passage, in its imagery and in the music of the words, is one of the gems of Spanish verse.

215. **Sentaos Crespo;** politeness exacted toward so distinguished a guest as Don Lope that the host remain standing until invited by his guest to be seated. K.

226. **Aun en la silla primera?** The reference is to I, 850 *et seq.*, where the incident evidently takes place, although nothing is said about it. K.

258. **si ha ya treinta Años asistiendo en Flandes, . . .;** as is pointed out by Krenkel, Calderón either consciously or unconsciously drew on his imagination regarding the length of time Don Lope served in Flanders. His whole extent of service down to 1580, the time of the play, embraced thirty years, a small portion of which was spent in the Netherlands, where the revolt against the Spaniards broke out in 1567; cf. xxvi.

328. **¿Fuérades con gusto a ella?** *Would you go into it with pleasure?* The old uncontracted forms in *–ades* and *–edes* are usual in the plays of Calderón, being retained especially when the accent falls on the antipenult, or to add a syllable.

337. **A su ventana una piedra;** it was customary for the serenader thus to attract the attention of the lady to whom he was paying homage. Moreover, if not poetically inclined himself, he frequently got someone more skilful in composing verse to write a song containing the name of the lady to whom it was directed. The little ballad here sung in honor of Isabel is ascribed to Góngora. The following pleasing rendering of it will be found in Edward Fitzgerald's version of *El alcalde de Zalamea:*

Ah for the red spring rose,
   Down in the garden growing,
Fading as fast as it blows,
   Who shall arrest its going?
Peep from thy window and tell,
   Fairest of flowers, Isabel.

Wither it would, but the bee
   Over the blossom hovers,
And the sweet life ere it flee
   With as sweet art recovers,
Sweetest at night in his cell,
   Fairest of flowers, Isabel.

361. **Pues ¡ y cómo si lo es !** *Well, I should say so!* Another reading is **Pues ¡ y cómo que lo es !** *Well, undoubtedly, it is badly done;* the same idea as in the preceding: **¡ y cómo si lo es !** the thought, according to Krenkel, depending on: ' How can one ask whether it be badly done? '

371. (*Ap.* **Disimulemos, honor**) ; this method of address to oneself, to one's thoughts, to honor, justice, etc., is frequently made use of by Calderón.

372. **¡ Quién en la calle estuviera !** (' Who would not want to be in the street ! ') i.e., *Oh, would that I were in the street! Quién,* implying the first person singular, is thus used in wishing.

386. **Disimulan que les pesa ; pesa** is used impersonally.

389. **¡ Hola, mancebo !** Crespo notices that his son is very anxious to get out on to the street, and to prevent him motions to him that his bed chamber is in the opposite direction.

396-397. **¡ Que no haya una ventana . . .;** if the window was left wide open or half open, that was a sign that the serenade was acceptable.

402. **jinete de la costa;** mounted knights armed in the manner of Don Quijote, with helmet, buckler, lance, etc., were employed for the protection of the Spanish coastland against invasion by the Moors or others; cf. the *Don Quijote,* I, xli, where the captive on landing in Spain meets very soon with the *ginetes* or the *caballería de la costa.* Likewise on the African coast opposite Spain similar horsemen for protection against invasion were maintained by the Moors.

420. **Si ya no es que ser ordena. . .;** *unless he purposes to be*

*some soul walking about on earth for the games of caña he has
played with his shield on his shoulders.* The Moorish game of
caña was so called because played with the *caña*, a reed, or stick
nearly five feet long and an inch thick. The players were on
horseback, one player attempting, as his horse rapidly wheeled, to
hurl his *caña* at an opponent who attempted to avoid the missile
with his shield. The blows received were not infrequently so
severe as to lead to all manner of serious engagements. *Andar en
pena* is said of those who have died and whose ghosts in atone-
ment for sin must keep walking about: *almas en pena.*

428. **La flor de los andaluces;** the inhabitants of Andalusia
had the reputation of bravery and of a desire to engage in affairs
such as appeal to ruffians and desperados. The spirit of the
song is well rendered in Fitzgerald's version of the play:

> There was once a certain Sampayo
>   Of Andalusia the fair;
> A Major he was in the service,
>   And a very fine coat did he wear.
> And one night as to-night it might happen,
>   That as he was going his round,
> With the Garlo half drunk in a tavern —
>   His lovely Chillona he found.
>
> Now this Garlo, as chronicles tell us,
>   Although rather giv'n to strong drinks,
> Was one of those terrible fellows
>   Is down on a man ere he winks.
> And so while the Major all weeping
>   Upbraided his lady unkind,
> The Garlo behind him came creeping
>   And laid on the Major behind.

430. **Y el rufo de mayor lustre;** *rufo –a*, as noted in the Vocabulary, means 'red haired.' The sense of the passage seems
to call for the meaning of 'ruffian,' 'bully.' The dictionaries,
Zerolo, Donadíu and Puignau, give: **rufo,** *Germ. rufián.* '*Germ.*,'
it may be well to note, upon referring to the *Abreviaturas
usadas en este diccionario*, means *germania* (not Germania), that
is: 'rogue's slang.' Under **rufián,** the meanings 'worthless
character,' 'hired assassin,' etc., are given. In the picaresque

language, the rogue's dialect, **rufo** means ' ruffian.' Moreover, there is in the verse word-play on **rufo,** ' red haired ' and ' ruffian,' and **lustre,** ' brilliancy ' and ' standing ': *the red head of the most brilliant red, and the ruffian of the highest standing. Jaque* and *rufo* have, it would appear, similar meanings; cf. the use of *Jack* in the Elizabethan drama.

433. **que el asonante ;** assonance in place of rhyme is common in Spanish poetry; cf. xli. It consists in the use of the same vowel sound in the last accented syllable of words having different consonants; thus, in English, *hat* and *man* are in assonance, but not in rhyme. The vowel sounds here in question, *culpen, lunes, hices, azumbres,* are *u + e,* which combination the names of the other days of the week do not contain. Consequently it is not necessary, because what is described happens on a Monday, for those who hear the song sung to believe that Sampayo is a deceived lover. *Monday,* sometimes pictured with the horns of the new moon coming out of his head, is popularly supposed to be the day when husbands and lovers are deceived.

437. **el Garlo;** the definite article is of frequent occurrence in colloquial usage with the names of women, as *la Chispa, la Chillona* (cf. note to *la Chispa,* page 114); the usage with a man's name, as here, is analogous, and serves to identify or characterize more explicitly *el Garlo. Garlar* is a familiar colloquialism meaning ' to babble,' ' chatter,' ' talk.' *Garlo,* in the language of rogues, = *garla,* ' chatter,' ' talk,' corresponding, thus to *la Chillona.*

441–442. **Rayo de tejado abajo;** word-play, meaning 1° *A streak of lightning from the roof down;* 2° *A hot headed fellow from top to toe.* **Nube** in v. 442 is also used in a double sense, that of ' cloud ' and that of ' cloak,' in picaresque language. Garlo, unhampered by a mantle or *capa,* could fight all the better.

444. **Un tajo y revés sacude,** *lets fly a right and left.* According to some fencing authorities, there are five strokes; cut, reverse, thrust, half cut, and half reverse, or *tajo, revés, estocada, medio tajo y medio revés.* The *tajo* was a cut delivered from the right side on the adversary's left side; the *revés* a cut delivered from the left on the adversary's right side. Hartzenbusch reads: **De tajo y revés,** *right and left.*

446 ff. **Acuchillan Don Lope y Crespo . . . ;** *métenlos dentro*, or
. . . *en fuga* is omitted; due probably to the custom of making
stage directions as brief and concise as possible.

457–458. **¡ Voto a Dios, que riñe bien !** these two verses recall
the fact that Crespo practices what he preaches when he says (II,
241 *et seq.*): . . . " *yo he tomado Por política discreta jurar con aquel
que jura, Rezar con aquel que reza.*" K. (B. C. D. texts have **¡ Vive
Dios !** where A. text, which Krenkel adopts, has **¡ Voto à Dios !**)

486. **Y pues amenece ya;** since Don Lope overturned the
table and Crespo the chair (II, 360 *et seq.*) when about to have
the evening meal, several hours have elapsed, for the morning
dawn is beginning to appear.

497. (*Ap.* **La vida me has de costar**); a prophecy of the truth
of which the captain is unconscious, foreshadowing, according
to certain commentators, the dénouement, such as is not unfre-
quently found in Calderón, — analogous examples having
already been cited in the present play (cf. notes to I, 159, 705,
and II, 537); but generally believed to be nothing other than
simply the conventional language of the play.

500. **Ya haremos migas los dos;** cf. note to I, 894.

523. **Del océano español;** the Atlantic was sometimes called
el mar océano.

525. **En ese monte le espero;** Kressner notes this passage,
remarking that *le* refers to *el farol*, said of success in love. On
the contrary, *le* refers to the sergeant whom the captain warns
to be on hand in the wood. Had the captain addressed the
sergeant as he does just below (v. 545), in the second person
singular instead of in the third person singular (*vaya marchando*),
the allusion could not then have been misunderstood, as the
pronoun used would have been *te*. Ordinarily subordinates, as
in the case of Nuñez with Mendo, the sergeant with the captain,
speak to their superiors in the second person singular, the superiors using the second person plural to them; cf. note to I, 847.
The third person is used as in the passage (v. 518) and in address as in I, 161, 466; cf. note to III, 553.

526. **Porque hallar mi vida quiero;** *vida* is evidently contrasted
with *muerte* in the next verse; at the same time, the term of
endearment, **mi vida,** *my love*, referring to Isabel, is plainly
suggested.

532. **¿ Puedo yo mostrar gordura?** word-play on *flaqueza* in the preceding line, which besides ' weakness,' has the meaning ' thinness,' and *gordura*, ' stoutness ': ' How can I display (what I haven't got) stoutness (plumpness)'?

534-535. **Porque tengo prevenida Una criada,** *because I have a servant all ready* (prepared); *tener* may be used thus with transitive verbs when attention is directed to the *state* of the direct object rather than to the *action* of the verb, in which case the participle agrees with the direct object.

537. **A aquesta hermosa homicida;** cf. note to II, 497 for this kind of allusion so frequent in Calderón's plays, according to certain commentators, but which is believed by others to be the ordinary conventional language; cf. also notes to I, 159, 439.

581. **si me ayuda quien...;** i.e., the servant girl mentioned in v. 535.

596. **el que dió Al barbero que coser;** cf. v. 167.

610. **Que el amor del soldado No dura un hora;** this snatch of song is found in a little different form in another of Calderón's plays: *El valiente negro en Flandes:* "*El amor del soldado No es más de una hora; En tocando la caja, Adios, Señora.*" к. Notice the shortened form *un = una*, analagous to *algún*.

641. **La litera;** Lope, like other gout-afflicted heroes of ancient and more modern times (cf. note to I, 789), had to make use of a litter. The *litera* differs from the *silla* or Sedan chair in that it is considerably longer and is borne along not by men but by horses or mules. к.

650. **Esta venera...;** this kind of souvenir (see Vocabulary, *venera*) was frequently presented by the guest when departing to the one offering hospitality. It sometimes contained a portrait of the guest. Don Lope makes light of the present when telling Isabel she may consider it simply as a *patena*, a rather coarse medallion then much worn as a pendant to a necklace. к.

674. **Quién nos dijera aquel día...;** in reality it was only the day before yesterday that Don Lope arrived, although one might well surmise from the expression *aquel día* that it was long ago. к. Nevertheless, it may be said that Calderón not infrequently gives suggestion of double time, as do other dramatists.

685-743. **Escucha lo que te digo;** this long passage has been much admired because of the hard horse sense appropriate to the situation which it contains. Schmidt calls it a model in its way; Klein compares it with the precepts which Polonius offers to his son Laertes as he is about to undertake his journey to France; cf. especially v. 722: "*No riñas por cualquier cosa*" with the " Beware of entrance to a quarrel " of Polonius (*Hamlet*, I, ii); Krenkel compares it with "*la discreta y graciosa plática que pasó entre Sancho Panza y su mujer Teresa Panza*" (*Don Quijote*, II, 5).

712. **Que el sombrero y el dinero . . .;** the verse is suggestive of the Spanish proverb: "*No hay amigo ni hermano Si no hay dinero de mano*," not altogether unlike: ' Where money, there friends,' or ' Ready money is a remedy.'

715. **en el indio;** although the term *indio* is applicable to either the East or West Indies, its general use in Spanish writers of the sixteenth and seventeenth centuries, as well as in Calderón, is in reference to Spanish America, whence so much gold came in the early days.

716. **Suelo y que consume el mar;** the criticism may be made that *consume* does not make good sense. Krenkel says that *consume* ·makes a contrast to *engendra*. Hartzenbusch reads: **Suelo y que conduce el mar.**

724. **Muchos que a reñir se enseñan;** it was the fashion of the time for the young men of wealth and position to take fencing lessons, a remunerative occupation for fencing masters. K.

751. **Los míos,** supply **brazos.**

758. **Siento más el que te vayas,** *I feel your going all the more;* the *el* introduces a clause which in itself is equivalent to a substantive, and begins with *que* taking here the subjunctive after a verb expressing emotion.

815. **El que me sigan;** cf. for an identical construction note to II, 758.

816, 818, 821. **hemos De estar. ... En que habemos de juntarnos;** the older form *habemos* instead of *hemos* is not uncommon in Calderón's plays and in those of the period. In v. 821, the subject of *salen* is indefinite, just as in English one says: " As *you* come out of the road."

825. **Aunque del nadar se dijo,** *although it is said of swimming.* A reference to the proverb: "*La gala del nadar es saber*

guardar la ropa," meaning that in a crisis, the best course is to avoid danger.

845. **A ir por ella me animo,** *I strive to go and get it* (*i.e., la espada,* v. 842).

874. **A la entrada de ese monte;** the sense of *monte* here and where in the play in this connection it occurs, is that of ' wood,' not of ' mountain.'

886. **Y uno es hombre, otro mujer;** *uno* and *otro* are used substantively; *and one is a man, the other a woman.*

TERCERA JORNADA

1–67. Isabel's lament, with which *La Tercera Jornada* begins, is open to the criticism not infrequently made that it lacks the simplicity, spontaneity, and naturalness called for by the situation. The rhetorical figures of speech, however admirable in themselves, are inappropriate to the circumstances. It is said that Calderón knew far better the society lady of the times, and therefore could more accurately portray her than the woman of the peasant class. In general, his women lack the genuine touch that is easily distinguishable in many of his other character types.

3. **Porque a su sombra;** *sombra,* referring to daylight, is a curious figure of speech; *lumbre* has been suggested as a possible emendation.

5–6. **¡ Oh tú . . . Primavera fugitiva,** *Oh thou fleeting spring* (precursor) *of so many stars;* the morning star, which may mean any one of the planets (Venus, Jupiter, Mars, or Saturn) when it precedes the sun in rising, especially Venus.

9. **Para que con risa y llanto;** *risa* and *llanto* are conventional terms used by the poets of the seventeenth century referring to dawn. The morning dew is conventionally designated as *risa del alba,* and as *llanto* or *lagrimas de la aurora.* K.

13. **Oh mayor planeta,** *Oh greatest* (of the) *planet(s);* the sun was formerly considered a planet, but is now known to be a fixed star.

55. **Vengo de hacer de la inocencia Acreedora a la malicia,** *I am going to make slander the arbiter of innocence.*

85–90. **Atadas atras las manos ;** the peculiar manner of each speaker expressing his or her ideas while alternating with the other speaker as shown in these verses is one of Calderón's literary devices for lending variety and effect to the situation.

98–99. te miras Con manos; i.e., with strength enough to revenge yourself.

166. ¿A quién no admira..., *whom does it not fill with astonishment, to want to turn the offense into love?* The whole phrase *Querer de un instante,* etc., is the subject of *no admira* and *¿A quién* is the direct object of this verb.

179. Es querer una belleza; Hartzenbusch reads: **Es querer una mujer,** suggested possibly because of *hermosa* in v. 180.

184–190. Pues (calle aquí la voz mía); the manner of using the parenthesis as shown in these verses is frequent in the plays of Calderón in passages containing great emotion, as here.

188. ensordezca la envidia, *let envy close her ears* (that she may not hear the gruesome tale, which otherwise she would delight in spreading broadcast).

208. ¿Cuándo, cuándo... Llegaron..., *when, Oh when, impious destiny, has the favor of your protection reached an unfortunate creature more quickly?* (Such favors have never been of avail, not reaching the unfortunates in time.)

212. Si no alumbra, ilumina, *if it does not shed the light of day, yet sheds sufficient light to make objects visible.* In speaking of natural light, *alumbrar* is used; thus: *el sol alumbra;* in speaking of artificial light, *iluminar* is used; thus: *una vela* (a candle) *ilumina;* so too, *una luciérnaga* (a glowworm) *alumbra;* but *un cohete* (a rocket) *ilumina;* much freedom as regards usage prevails.

260–263. Ciega, confusa y corrida; notice the literary structure of these verses: 260 containing three adjectives; 261 three verbs; 262 and 263 each three nouns.

299–305. ¡Vive Dios, que si la fuerza, *if... caused the captain to return to the town,* then the expected conclusion of the phrase would be: **le está bien,** *it is well for him;* but another idea occurs, and the intervening **Que pienso que** is inserted, producing anacoluthon. K.

326. Pero si esto se averigua; *but if this be ascertained (attested) judicially* (cf. *averiguaciones,* v. 343). Formerly in Spain the *alcalde,* or mayor, combined the functions of mayor, justice of the peace, and judge in the civil and criminal courts. His emblem of authority was the *vara* (v. 341), a black staff, surmounted by an ivory head. The modern *alcalde* possesses simply the ordinary functions that are usually associated with the duties of a mayor.

347. **Ya teneis el padre alcalde . . .;** a reference to the proverb: "*El que tiene el padre Alcalde seguro va al juicio.*" Whether this be a direct answer to the preceding verse depends on the text of that verse; the Hartzenbusch reading is **¿ No he de acompañarte ?**

353-356. These verses, assigned by Hartzenbusch to the sergeant, Krenkel believes more appropriately belong to the captain as an answer to the sergeant's question in vv. 351-352. Other scholars believe that both context and sense require them to be assigned to the sergeant.

374-376. **Mejor: llegando a saber Que estoy aquí, y no temer A la gente del lugar;** i.e., inasmuch as the local authorities have intervened, there is no reason for me to fear the lynch law of the town's people. Hartzenbusch reads: **Mejor. Llegando a saber Que estoy aquí, no hay temer A la gente del lugar;** a reading which brings out more clearly the sense of the passage.

379. **A mi consejo de guerra;** the absolute and unlimited confidence shown by the captain in the jurisdiction and powers of this tribunal over any and all others to extricate him is one of the many confirmations of what is amply attested in the literature of the period, that murder, violation of all moral law, crimes of every description when committed by the soldiers were in an entirely different class from the same atrocities committed by the *villanos,* and were usually condoned.

385. **Y no me salga . . . que aquí estuviere,** *and let no soldier who might by any chance be here go out;* the *me,* in the first line, is a dative of interest; the subjunctive *estuviere* characterizes the general nature of the order.

415. **Como tienen encerrados;** *las prisiones,* understood from v. 418, is the subject of *tienen;* H. reads: **Como han estado encerrados,** which simplifies the construction. K. suggests that such change was made precisely for that purpose; cf. xxxiv.

425. **Siempre acá entre mis iguales . . .,** *here among my equals I have always conducted myself respectfully.* The sense rather

indicates that Crespo's townsmen always treated him with respect (which the change of *he* [v. 426] into *han* renders quite simple). However, the change is unnecessary, inasmuch as *tratarse* here = *conducirse*, and cannot well be made on account of *entre*.

438. **Téngala Dios en el cielo**, ' may God have her in Heaven,' *i.e., God bless her!* One of the many conventional expressions used in speaking of some one who has passed away.

449. **Y ¡ plugiera a Dios, señor . . .**,' *and would to God, sir, that they remained satisfied with knowing them!* the idea being that they were apt to go farther and imagine or invent defects which did not exist.

453. **Aunque pudiera, ai decirlo . . .**, *although I could, in saying it, with still greater pain deplore it* (than vaunt it). H. reads **Llorarlo** (v. 455).

460. **No hemos de dejar, señor . . .**, *we must not let time, sir, have its own way with everything.*

473. **Buscar remedio a mi afrenta . . .**, *to avenge my offense is vengeance, it is not a remedy;* these two verses are parenthetical. The sense of *buscar remedio* is ' to avenge ' rather than the literal rendering of the two words.

484-485. **Sino quedarnos pidiendo . . .**, *but we shall be left begging alms;* the subjunctive might be expected, instead of the infinitive, in the expression *Sino quedarnos . . ., i.e., sino que quedásemos.*

489. **Poner una S y un clavo . . .**, ' to put an *S* and a nail upon us both to-day,' *i.e., to brand us as slaves;* this was done pictorially by putting a *clavo* through an *S* thus: $ = s *clavo* (*esclavo*). Even in the seventeenth century, formal slavery was to some extent practiced with servants: "*La S formada en un clavo es cifra de la voz esclavo.*" (*Dictionary of the Academy.*)

501. **En Castilla, el refrán dice . . .**; the proverb is: *En Castilla el caballo lleva la silla;* the meaning is that the father's rank is of more importance than the mother's. In Castille the son takes his father's nobility, even though his mother be a plebeian.

507. **Viendo nieve y agua . . .**; an example of one of the common literary conceits of the time which detract rather than add to the merit of an otherwise fine passage.

510. **Que me quitasteis vos mesmo**; the form *mesmo* is common in verse assonance *e-o*.

515. **Mirad que puedo tomarle . . .;** the meaning appears to be: ' as a magistrate, I have the power to redress my grievance and restore my reputation.'

523–524. **Porque quiero que debáis . . .,** *because I want you to owe my not treating you more cruelly;* the subject of *andar* (*yo*) is omitted as frequently with an infinitive in Calderón.

549. **Juro a Dios;** Hartzenbusch reads: **Pues juro a Dios.** The verse needs *pues* or it will lack a syllable, unless the hiatus *juro* | *a* be allowed; cf. note to I, 684 in regard to hiatus, which Morel-Fatio finds intolerable; cf. III, 775.

553. **¿ Qué es lo que manda;** hitherto the clerk of the court has used in addressing Crespo the usual form in the play, the second person plural (vv. 310, 313, 339, 342). Now that Crespo is no longer his equal but his superior in that he is the *alcalde*, the court clerk makes use of the more polite form, the third person singular. K. Cf. notes to and I, 847 II, 525. It should be remarked, however, that the Krenkel text gives this speech to the *escribano* and that the Hartzenbusch text gives it to the *labradores* and that the line reads: **¿ Qué es lo que mandas?** showing that what has been noted (I, 847), that *vos* is the ordinary form of address in common use, and that *tú* is the usual form of address throughout the play when superiors are addressed by subalterns, holds good. According to Krenkel, the clerk of the court addresses the Court in the presence of the *labradores*. The commentators differ in the assignment of vv. 551, 553, Hartzenbusch assigning v. 551 (the second word of the verse) to *un labrador* and v. 553 to *labradores*, while Krenkel gives them both to *escribano*.

561. **Que soy un capitán vivo,** *that I am a captain and a live one,* i.e., one who can get even with you; to which comes the alcalde's antithesis in the next verse: **¿ Soy yo acaso alcalde muerto?** *Perhaps you take me for a dead alcalde, eh?* Moreover, there is word-play here, *vivo* having also the sense of being ' in active service,' the opposite of ' retired '; while *muerto* has also the sense of ' extinct,' ' out of commission,' suggesting a ' has been.' K.

571. **No es acción . . .;** such is the Krenkel reading. Hartzenbusch reads: **No es razón,** which corresponds much better with vv. 574 and 583. Moreover, as regards repetition, it will

be noticed that Crespo repeats the word *respeto* in vv. 573 and 577.

584–586. **porque después ... les tomen la confesión,** *so that afterwards, with all due respect they* (the officers of justice) *may take the declaration of all three.*

588. **Si hallo harto paño,** 'if I find sufficient cloth,' i.e., material: *If I find the evidence sufficient;* cf. the meaning of *paño* in the familiar figurative expression: *haber paño de que cortar = haber materia abundante de que disponer.*

591. **¡ Ha villanos con poder !** i.e., *give peasants power* (and this is the result), recalling the Spanish proverb: "*Cuando el villano está en el mulo, ni conoce a Dios ni al mundo.*"

593. **Son a los que mi cuidado** = *Son los a que mi cuidado;* such slight inversions of the logical order occur occasionally; cf. II, 624–625, *manera* (Vocabulary). Chispa here appears in the clothes of the page who had run away (II, 605).

595. **Que otro se puso en huída;** *otro* refers to the sergeant, Act III, Scene 7.

597. **Con un paso de garganta ...,** *with a movement (step) of the throat, he will not make (take) another in his life;* word-play on *paso de garganta*, which means in music 'a trill,' and *hacer paso de garganta* = slang for ' to be hanged.'

612. **¿ Quién otra os ha de cantar?** *Who will sing another song for you* (when you likewise are put on the rack to be made to tell all you know) ? *Cantar* is used in the picaresque language for ' to confess under torment.' The Hartzenbusch text reads: **A vos después También os harán cantar.** The expression is explained in the *Don Quijote*, Part I, Chapter XXII: ... "*cantar en el ansia se dice entre esta gente* " *non santa* " *confesar en el tormento.*"

622. **¿ No sois paje de jineta? No, señor, sino de brida;** the first meaning of **jineta** is: ' Manner or art of riding horseback according to a school of equitation of the same name.' *Cabalgar a la jineta* means ' to ride with short stirrups '; '*cabalgar a la brida,* ' to ride with long stirrups ' which is the opposite of riding with short stirrups; *a la jineta,* on which expression Chispa makes a pun or word-play. Possibly the exact wording of Maccoll's note may make clearer this obscure Calderonian pun: "Crespo asks, ' Are you the captain's page ? ' *Jineta* was the

halberd originally carried by a captain (also by a sergeant) as token of his rank. . . . Chispa in reply makes a pun on *jineta*, for *cabalgar a la jineta* means ' to ride with short stirrups ' and is the opposite of *a la brida*, ' with long stirrups.' "

626. **Que peor será morir,** *for it will be worse to die,* i.e., than to confess all we know (and all we shall invent in order to get off being put to the rack).

680–681. **Aquesto es asegurar su vida;** *su* refers to Juan.

707–709. **No: ya que como quisiera . . .,** *No: inasmuch as my duties of alcalde do not permit me to satisfy the demands of my reputation as I should like to* (i.e., by slaying the captain) *the affair must be arranged in this way.*

732. **Que venís mortal, señor;** *mortal* means *mortal perdido,* i.e., ' I am not myself ' ; *muerto* is often so used; cf. v. 739: **Que estoy perdido,** *I am undone, beside myself.*

737. **Un soldado me alcanzó;** this refers to the sergeant who made his escape from the peasants as related in v. 595.

755. **Pues dárselos, sin que deje . . .;** supply *he de* after *pues.*

771. **Par Dios, se salga con ello;** the subjunctive is here used expressive of strong emotion, after some assertion implied like *juro:* (I swear, by heaven) *he will succeed in his purpose.*

775. **Decidme dó vive o no;** Hartzenbusch reads: **Decid dónde vive o no,** probably to avoid the coming together of three monosyllables.

779–781. **¡ Voto a Dios, que lo sospecho ! . . .** *By heaven* (I can tell you indeed that) *I suspected as much;* cf. Vocabulary for *si.* The present tense is here used for the past in animated narration. Cf. in vv. 780, 781 *lo dicho dicho, lo hecho hecho,* John xix, 22: " Pilate answered, What I have written, I have written."

785. **Yo acá le tengo preso;** Hartzenbusch reads: **Pues yo acá le tengo preso,** making one syllable more to the verse. Cf. for hiatus note to I, 684, etc. It is of interest here to note the two-verse dialogue beginning with vv. 783–784 between Crespo and Don Lope, which is parallel to the one-verse dialogue just preceding, the latter being the more common.

795–796. **¿ Vos sabéis cuánto os prefiere . . . ?** *Do you know how much above your jurisdiction is that I have been in charge of ? Os* is here simply for *vuestro cargo.*

797-798. **¿ Vos sabéis que le he rogado Con la paz y no la quiere ?** ... *Do you know that I begged him with peace*, (i.e., I offered him peace) *and he does not want it?*

815-816. **No embarazo Que vais;** notice the form *vais* = subjunctive *vayáis*.

823. **Hola, soldado, id volando;** here Don Lope addresses the soldier in the second person plural, but he addressed the drummer from the window in the second person singular: *echa un bando* (I, 834). Usage, as shown by the texts in similar instances, wavers; cf. note to I, 847. It is of interest to note here that among the parallel passages taken from Lope de Vega's *Alcalde de Zalamea,* cited by Krenkel in order to show to what extent Calderón's *Alcalde* drew upon that of Lope de Vega, occurs a passage precisely parallel and corresponding to that here discussed in which Lope de Vega makes the general Don Lope say to the drummer *Echad un bando.* K. *Einleitung,* p. 41.

856. **que a no entrar . . . había de hallar,** *had you not entered the town . . . you would have found . . .;* the infinitive preceded by *a* often takes the place of a protasis in a conditional sentence; in the second part, or apodasis, the imperfect is used, as here sometimes, as a substitute for the conditional; cf. remarks under **haber** in Vocabulary.

884-886. **es verdad Que no escuchara a mi hija,** *it is true I would not give ear to my daughter* (other than to satisfy the ends of justice) *since the ties of blood were alike.* A footnote to the Hartzenbusch text here reads: *Ha de faltar algo: en otros muchos pasajes de la comedia creemos que sucede lo mismo o que está viciado el texto.* Krenkel renders the meaning of the passage as follows: *Inasmuch as I have proven my impartiality through the steps I have taken against my son, it may well be taken for granted that I have not listened to the complaint of my daughter because of the ties of blood between us, but on the grounds of justice pure and simple.* (Translated.) (**no escuchara** (v. 885) calls for the rendering: *had not listened;* and **pues** (v. 886) may not be rendered by *because,* but rather by *for* or *since.*)

910 ff. **y aparece dado garrote,** *and he appears strangled;* i.e., he was strangled in this position by means of a jack-screw,

fastened to a post, the screw of which passed through an iron collar around the prisoner's neck tightening the collar and at the same time piercing the spinal marrow at its junction with the brain, thus causing death. This mode of capital punishment is still practiced in Spain, the collar now being made of strong leather.

923-924. ¿ qué importa errar lo menos..., *what matters it that the one who has succeeded* (in obtaining) *the most falls short in what is the least?* Hartzenbusch reads: Y ¿ qué importa errar lo menos Quien ha acertado lo más ? (an improvement on the text A., reproduced by Krenkel, and found in texts B. C. D.)

925. Pues ya que aquesto sea así; Hartzenbusch reads: Pues ya que aquesto es así, avoiding thus the hiatus already commented on in I, 684, III, 549, etc. The smoother readings of the Hartzenbusch text may be felt at a glance by the comparisons noted in the Introduction, XXXVII, Text D.

926-928. ¿ Porqué... no hicisteis degollarle ? *Why ... didn't you have him beheaded?* In the hierarchy of Spanish social distinctions, it was the privilege of a *caballero* to be beheaded, while garroting and hanging was the form of the death penalty meted out to plebeians.

944. que me importa Llegar presto a Portugal; in reality, as Krenkel shows, it was more than eight months after Philip arrived in Guadalupe (March 24, 1580; cf. note to I, 146) that he reached the Portuguese frontier city of Elvas, on the Guadiana river, about twelve miles west of Badajoz. Cf. vv. I, 845-847; also Introduction i, ii.

945. por alcalde perpetuo; inasmuch as it was the custom to elect the alcalde yearly, the king bestowed upon Crespo a signal honor.

968-969. A esto le pudo obligar; the allusion is not, at least as interpreted by Krenkel, to *herir a su capitán*, as the context might easily lead one to suppose, but to *socorrer a su hermana*. Moreover, after *pudiera* (v. 969) Krenkel suggests that some such verb as *socorrer* be supplied.

972-973. Las plantas, señor, me dad..., *let me thank you most humbly; I shall remain your faithful servant.* In elevated style, as here, in addressing *el Rey*, *plantas* is used for *pies; me dad*, poetical for prose *dadme*.

977. **el pasado instrumento;** see Vocabulary, *instrumento;* the allusion is to vv. 602, *et seq.*, of Scene X. The alcalde threatened to put her on the rack; see note to III, 612, and Chispa takes *cantar* in the same sense as Crespo used the word (v. 602).

978-980. **Con que fin el autor da;** one of the conventional endings of a seventeenth century play, imitated from the usage in other lands (Greece), from the times when the theater was in its infancy. The word *autor*, as here used, means about what the word ' manager of the company ' conveys now to the public in general, — the one mainly responsible for the entire show, not actually the author of the piece, according to Krenkel, who cites his authorities. This statement, however, is refuted by those who maintain that *autor* is here used in its original sense of the author of the piece.

VOCABULARY

A

a to, at, on, by, against, for, of, according to, from

abajo below, under, down, downstairs; **cuesta** — down hill; **de tejado** — from the roof down = **de arriba abajo** completely, II, 441

abierto, –a open

abismo abyss

abono surety, guaranty, voucher

aborrecer detest, abhor

abrasar burn, consume, set on fire

abrigo protection, shelter

abrir open

abuelo grandfather, ancestor

acá here, hither, this way, over here, this side; **de ayer** — since yesterday (*onwards*); **por** — here

acabar finish, perform, end; **Y estás cosas acabadas** and these things over with and done, II, 491; **acabado de llegar** (*see* **llegar**); — **de** (+ *infin.*) have just, III, 670

acaso perhaps, by chance, perchance

accidente *m.* accident, chance

acción *f.* action, affair, deed, case, act; duty; demeanor, gesticulation, gesture; legal procedure, according to law (*a law expression meaning a right one has to ask for something according to legal form; also*

the lawful way of exercising this right in order to get what is our due, III, 315); *used with the masculine article:* **Nada en el** — **de hoy**, III, 822; (H. *reads:* **Nada en esta acción de hoy**); *cf.* **el alma**, I, 738, **el alba**, III, 203; **este fantasma**, I, 411

acento accent; word, cry, call

acero steel; blade, sword

acertar succeed, make out to, manage, chance, happen, hit it right; — **a** happen unexpectedly

acomodado, –a ready, to rights, arranged; comfortable, wealthy

acomodar accommodate, arrange, set to rights; *refl.* get ready

acompañar accompany, attend, follow

acompañamiento attendants, retinue, train, suite, escort

aconsejar counsel, advise

acordar resolve (*by common consent*), agree, conform; remind; **con recto juicio acordarás lo mejor** you will the better conform to right judgment, II, 699–700

acosar pursue, vex, harass

acreedor, –a deserving, meritorious; *m.* creditor; *f.* creditrix, creditress (*see note to* III, 55)

acuchillar cut, hack, slash (*with knives or swords*)

acudir assist, attend; help, support; run (*to*), hasten, betake oneself; have recourse (*to*)

adarga shield, buckler (*differing somewhat from the round* **rodela,** *in that the* **adarga** *was heart shaped or oval, made of buffalo leather. Originally used by the Moors of the Barbary States; from there it was introduced into Spain*)

adelantar go forward, advance

adelgazar render subtle, sharpen; weaken, lessen, attenuate

aderezar prepare, put to rights

adiós adieu, good-by, farewell

admirar admire, marvel, contemplate; cause wonder in, excite the astonishment of, III, 166

admitir admit, accept

adonde whither, where

adorar adore, worship

advertencia warning, admonition, advice, notice

advertir take notice (of), see, perceive, mark, note, remember

afeite *m.* paint, rouge, cosmetic(s)

afición, *f.* affection, liking, fondness

aficionar inspire affection *or* fondness (for)

afirmar assure, assert

afligido, –a grieved, pained, distressed

afligir afflict, cause pain (to); *refl.* grieve, be distressed

afrenta affront

agora K. = **ahora** (*the archaic* **agora** *for* **ahora** *is used by*

poetic license when an extra syllable is needed)

agosto August; **por el** — in August

agradar please, suit, charm, take one's fancy

agradecer thank, appreciate, be thankful, thank (one's stars, I, 661)

agradecido, –a grateful, thankful, appreciative, under obligation

agravio insult, injury, wrong, offense

agua water

aguardar await, expect, stop, hold, stay

¡ ah ! *interj.* ah! oh!

ahí there, yonder, near you

ahora now

ahorcar hang up, kill by hanging, string up

aire *m.* air, atmosphere, wind

ajeno, –a another's; foreign, strange; **ajena de mí misma** out of my mind, III, 138

alabanza praise, commendation, glory

alba dawn (*cf. references under* **alma**)

albo, –a white

alborato *m.* disturbance, tumult, riot; outcry

albricias reward for good news; *interj.* **¡** — ! good news ! O joy !

alcaida assistant (*see note to* II, 137)

alcalde *m.* mayor (*possessing judicial functions*)

alcaldillo insignificant mayor (*cf. remark under* **Juanico**; *here the diminutive ending is disparaging,* III, 741)

alcanzar obtain, attain, reach; overtake, catch up with; pursue; comprehend, understand, III, 764

alcázar *m.* palace, castle, fortress

alegría joy, pleasure

alentado, -a intrepid, vigorous, valiant, courageous, spirited, energetic, ardent, I, 565

aleve treacherous, perfidious

alférez *m.* ensign (*in an infantry regiment, a post of honor and trust, the holder being the captain's lieutenant,* I, 105, 623)

algo something; ¿ **Es — Nuño, la herida ?** is the wound serious, Nuño, II, 503 (*see* **nada**)

alguien somebody, anyone

algún (*see* **alguno ;** *the shortened form may appear before two-syllable words beginning with* **a** *and* **ha;** *see* **hora;** *the Hartzenbusch text has* **Alguna alma,** *while that of Krenkel has* **Algún alma,** II, 421)

alguno, -a some, any; a few

alïanza K. **alianza** H. alliance, agreement, I, 719

alicantina trick, deceit; **Sobre hacerme —** over perpetrating a piece of trickery with intent to cheat me (*see note to* II, 161, **alicantina**)

aliento breath

alimento food, nourishment

alma soul; **en el —** deeply, I, 738, 875 (*cf. note to* I, 300)

almagre red ochre; (*slang*) ' claret '

alojamiento quarters, lodging(s); quartering, billet (*for troops*)

alojar dwell, station, lodge, take quarters (*for soldiers*); *refl.* take lodging(s), arrive

alterarse get angry, be disturbed, get excited

altivo, -a haughty, arrogant; overbearing, proud

alto, -a high, lofty, above, top, up-stairs; (*in stage directions, contrasting with* **aparte**) aloud

¡ **alto !** halt !; **hacer —** halt

alumbrar shed light (upon), illumine *or* illuminate (*as does the sun; see note to* III, 212)

Álvaro de Ataíde (**Don**) *name of the Captain in the play* (*see* **Ataíde** *and Introduction* XXIV)

alzar raise, lift up; *refl.* rise (*from kneeling*)

allá there, thither; **por —** yonder

allí there, in that place; at that time, then and there

amanecer dawn, be day(light); arrive at break of day; get up in the morning, II, 249; **no había amenecido** dawn had not arrived, I, 371

amante *m.* lover

amar love, like

ambición ambition, aspiration

ambos both

amén *m.* amen (*used to strengthen an oath or preceding assertion,* I, 4)

amigo, -a friend

amo master

amor *m.* love

amparar protect

amparo protection, aid, favor

anciano, -a aged, old

andaluz, -a a native of Andalucía, Andalusian; *pl.* **andaluces**

andante errant, wandering; **caballero** — knight errant

andar walk, go, go about, be, behave; **No — con vos más cruel** = *el no andar* etc., not being more cruel to you (**andar**, *here, as frequently, used as an auxiliary*, III, 524)

animar animate, enliven; impel, incite; *refl.* keep up one's courage; make the best of it; exert oneself, strive, endeavor

animo spirit, courage; mind, intention, will; **hacer** (**tener**) —çare, intend (*to do something*)

animoso, -a courageous, valiant, spirited

anoche last night

anochecer grow dark

ansia anxiety   [beginning

ante *m.* first course (*at dinner*);

ante *prep.* before, in the presence of

antes *adv.* before, first, beforehand, previously, preceding; rather, nay, on the other hand; — **que** before, sooner than, rather than; **de** *prep.* before (*of time*)

año year

apacible affable, pleasant, gentle, quiet

apadrinar act as godfather; act as second in a duel; support, favor, protect

aparato apparatus; preparation; pomp, show, sign, display

aparecer appear, be seen

apartar part, separate, divide, thrust aside; *refl.* depart (from), go off (from), leave; **El todo el día No se quita de su**

puerta you don't see him leave the door, the whole blessed day, II, 11

aparte apart, aside; separately, by oneself

apear alight, dismount; *refl.* get down, dismount

apelar appeal, have recourse — **a las manos** come to blows (*cf.* — **a los pies** run away)

apellidar call, name, invoke; call (*to arms*)

apercibir warn, serve notice, III, 560

aplicarse devote oneself, strive, endeavor

apoderar empower; *refl.* take possession, overpower

aposento room, apartment

aprender learn

aprisa swiftly, promptly, quickly, speedily, fast

aprisionar imprison, bind

aprovechar take advantage

apurar purify; consume, drain, exhaust

aquel, aquella *adj.* that

aquél, aquélla, aquéllo *pron.* that, that one, the one, the former; he, she, it

aquello *pron.* that, that matter the former, the one

aquese, -a *adj.* (*for* **ese** *and* **esa**) that

aqueso *pron.* (*for* **eso**) that

aqueste, aquesta *adj.* (*for* **este** *and* **esta**) this

aquéste, aquésta *pron.* (*for* **éste** *and* **ésta**) this one

aquesto *pron.* (*for* **esto**) this one, this

aquí here (*see* **cuerpo de guardia**)

arbitrio free will, judgment

arcabuzazo shot from an **arcabuz** *or* harquebus(e) (*an old-fashioned blunderbuss*); *cf. note to* I, 147

argüir argue; **es bien se arguya** in whatever way the case be argued, *i.e.*, argue as you will, III, 799 (*the construction, according to Krenkel, is:* **es bien que se arguya que os entráis** it will have to be argued that you trench upon another's jurisdiction, *i.e.*, invade that of the military tribunal)

arma arm (*weapon*)

armar arm; **ven a —me** come and arm me, II, 53

arriba above, up, on high; **cuesta — up hill; por ahí —** up there

arrimar approach, place near; lay aside

arrojar throw (down), hurl, drive away, cast out, turn out, push back; tip over, upset, push aside

arrollar roll up, furl; defeat, rout; **una arrollada bandera** a flag furled (*for convenience of carrying when not on parade*)

aseado, -a clean, neat, elegant, adorned, attractive

asegundar repeat an act; follow the first (blow) with a second, III, 241

asegurar insure, assure; **A questo es — Su vida** (*see note to* III, 680)

asentar seat; establish, fix, settle

así *adv.* so, accordingly, in this way, thus, consequently (*used correlatively like Latin "sic," with* **que,** *and without* **que**

[*omitted in translating*] introducing a wish): **— el cielo te guarde** (*provided you, if you* . . .) so may heaven protect you, I, 354 (*see* **asomar**); **bien —** just so, in the same way, III, 119; **Delante — de mí hoy** thus in my presence to-day (*así is placed where it is here to avoid the elision of accented i in* **mí,** *not otherwise possible,* III, 669)

asiento chair, seat; site, spot; **en llegando De asiento** on arriving in permanent quarters, upon settling down, II, 738-739

asir seize, clutch, fasten, attach

asistir be present, take part, serve

asomar appear, be visible, show, project; *refl.* look out, look out of, appear **Asómate a esa ventana, Prima, así el cielo te guarde = Así el cielo te guarde que te asomes** (*see* **así,** I, 353-354)

asombrar strike with terror, dumbfound

asonante *m.* assonance (*see note to* II, 433 *and Introduction,* XLI)

aspirar inspire, draw breath; aspire, covet, desire ardently

asunto subject, matter, theme

Ataíde: Don Álvaro de — (*name of the captain in the play; cf. Introduction* VII, XXIV)

atar tie, leash, tie up, fasten, bind

atención *f.* attention, kindness, courtesy, respect, civility

atenerse (a) stick, abide (by), pin one's faith (upon)

atento, –a attentive, heedful

átomo atom

atormentar torment

atrás backward, behind; behind one's back

atreverse dare, venture put oneself in jeopardy, hazard, expose oneself to ruin

atrevido, –a bold, daring, audacious; forward, insolent; shameless, impudent, brazen

atrevimiento daring; boldness, rashness, temerity; effrontery

audiencia audience, hearing; tribunal, court of justice

aún, aun even, still, yet; too also, moreover; **ni — even,** I, 856, 862 (*redundant, being simply rhetorical, but adds effectiveness*); **y — bien que esta Cerca de aquí** and (it is) also well that he is near here, III, 568–569

aunque although, even though, though

aurora aurora, dawn

autor *m.* author

autoridad *f.* authority

aventura adventure

aventurar venture, risk, take chances

aventurero adventurer; champion, free-lance; knight of industry; **de — as a champion;** (*see note to* I, 394)

aventurero, –a adventurous, voluntary

averiguación *f.* judicial investigation (*cf. note to* III, 326)

averiguar inquire about, make a judicial inquiry; ascertain, verify, establish, substantiate

avisar advise, inform, warn, tell

aviso information, notice, news, warning; care, attention; **da a la criada —** let the servant know

avizor watch, guard, sentry; **ojo — (an)** eye open, *i.e.,* keep your eye open for trouble; look out, watch (*see note to* I, 776)

avizor *adj.* (*used in the expression* **ojo avizor** *equivalent to* **ojo alerta**) = a sharp lookout, keep your eyes open for trouble (*see note to* I, 776)

¡ay . . .! oh . . .! alas . . .! ah . . .!; **¡ — de mí!** alas for me! woe is me! III, 27

ayer *adv.* yesterday

ayuda aid (*see* **ayudilla;** *the masculine form of the article and of the demonstrative adjective as here is found in the texts of the Calderón plays, used with substantives beginning with* **a** *and* **ha;** *cf.* **algún alma,** II, 421. *Hartzenbusch, however, has* **Esta ayuda de costa,** *etc.,* I, 654, *and Krenkel may have been deceived by* **el ayuda**)

ayudar help, aid

ayudilla a little aid, help (*see* **costa**)

azada hoe; spade

azul blue

azulejo glazed tile (*frequently used for decorative purposes, as in displaying coats of arms*), II, 55

azumbre *f.* a measure of liquids, a half gallon; **La casa de las —s** tavern, wineshop II, 438 (*so called jocosely from its meaning the eighth part of an*

arroba: *liquid measure of about four gallons, or two quarts = four* **cuartillos**)

B

bailar dance

bajar descend, come down

bajeza lowness, baseness, meanness, servility

bajo, –a low; **sala —** room down-stairs (off the first floor)

bala ball, bullet shot; **Como esas —s** balls like those, III, 819

balde *m.* bucket; what is useless, of no value; **en —** in vain, to no purpose

baldonar insult, reproach, censure

banda bandage

bandera banner, flag; regiment, III, 132

bando proclamation; party; **echar un —** publish or "spread" an order, I, 834

banquillo little bench, seat, settee

barato winnings (*portion of the winnings given gratuitously by the winner to those onlookers or henchmen present during the game*)

barbado, –a bearded, virile; **— el alma** a masculine soul, I, 68

barbero barber, army surgeon (*see note to* II, 167)

bastante sufficient, enough, adequate; not a little, *i.e.*, a good deal

bastar suffice, be enough; **basta** enough

batalla battle

beber drink

beldad *f.* beauty

belleza beauty (*see* **hermosura**)

bello, –a beautiful

bendición *f.* blessing

bengala cane (*a light rod with a silver head carried by an officer as a symbol of authority; from Bengal, India, whence bamboo rods came*)

besar kiss; **— las manos** *or* **los pies** (*conventional polite expressions of regard, respect; see* **mano**)

bieldo *or* **bielgo**, κ. winnowing-fork

bielgo *see* **bieldo**

bien *m.* good, happiness, object of love, treasure

bien well, very, quite, certainly, just; **si —** although, even though; **por —** amicably, in a satisfactory manner, III, 712; **— está** it's all right

bienquisto, –a generally esteemed, respected, beloved

blanco, –a white

blando, –a smooth, soft, gentle

blanquear whiten, become white

blasonar boast

bola ball

boleta lodging-ticket

boliche *m.* small ball for bowling; **juego del —** pigeonholes (*an old game played on a table, somewhat resembling billiards, also called " troll-madam "*); **alcaida de — = bolichera,** *cf.* I, 652, 672; II, 182 (*see note to* II, 137)

bolichera game attendant *or* keeper of the pigeonhole *or* " troll-madam " table

borrar erase, efface, obliterate, blot out

brazo arm; **dar —s** embrace

breve brief, short, little

brevedad brevity, briefness; **con — shortly**, soon, without delay

brida bridle; art *or* manner of horseback riding; **a la —** with long stirrups (*see note to* III, 622)

brindar drink a toast, drink to one's health

brío spirit, enthusiasm, strength, vigor, energy, mettle (*see* **despejo**)

brioso, –a vigorous, spirited, strenuous, forcible; swift, rapid

broquel *m.* shield; buckler

bruto brute, beast, animal

buen *see* **bueno**

bueno, –a good, lucky, fortunate; **¿De dónde —?** (*see note to* I, 423)

Burgos *name of a city in northern Spain, capital of the provinces of Burgos and Old Castile* I, 337. *Its world-renowned cathedral contains the remains of Rodrigo Díaz de Vivar el Cid campeador of Spain* (+ 1099)

burla jest; joke; **¡ Pluguiera a Dios fueran —s !** would that (*what we are talking about*) were only in fun ! II, 23

buscar seek, search, look for go and get, fetch, find

C

caballero horseman, cavalier, knight; sir (*in address*), I, 707; nobleman, gentleman; **— andante** knight errant

caballo horse

cabellera wig

cabeza head; **rompernos estas —s** weary (*cudgel*) our brains

cabezudo, –a headstrong, obstinate, stubborn

cabildo corporation, town officers

cabo end; chief, head, commander, leader

cada every, each

cadena chain

caduco, –a decrepit

caer fall; fit, suit, become; **— en** encounter, stumble over, I, 332; realize, understand.

caja box, case; drum; **suenan —s** beating of drums

calar penetrate; soak through (*with oil*); **con las cuerdas caladas** (*i.e., with the slow matches, or match cords, soaked in oil, and already lighted; see* **cuerda**)

calidad *f.* quality; rank

calva bald crown of the head

calvo, –a bald

calzado, –a (de) arrayed in, covered; disguised

calzar put on (*gloves, hat, shoes, spurs*); **calzado de palillo,** *see* **palillo** *and note to* I, 412

callar be silent, keep still, refrain from saying anything; **calla** hush

calle *f.* street; **por la —** in the street

cama bed

camarada *m.* comrade

caminar walk, march; come on, go on

camino road, way, journey, march

campanario belfry, tower (*see note to* **Zalamea,** *page* 114)

campiña tract of country; field

campo field

cana gray hair; white beard, III, 506

canción *f.* song

cansado, -a tired, tired out, fatigued, exhausted; tiresome, III, 519, 546

cansancio fatigue, weariness

cansar weary, bore, molest, tire; *refl.* grow tired, become weary, get provoked, II, 166

cantaleta serenade

cantar sing; *m.* el — singing, song

cántico canticle, song

cantidad *f.* quantity; amount, sum (*of money*)

cantor *m., f.* singer

caña reed; *Moorish game* (*see note to* II, 420)

cañón *m.* cylindrical tube *or* pipe; cannon; gun

capa cloak, mantle, cape

capitán *m.* captain; **en sus capitanes** *i.e.*, in the persons of his captains, I, 474; **el —** (*see Introduction,* XXIV)

capricho caprice, whim, mood, humor; **Loco de tan buen —** such a good natured crank (*instead of an expected compliment, Don Lope receives something, though not intentionally uncivil, yet quite the reverse of approbation* II, 681)

caprichudo, -a capricious, crotchety, obstinate, stubborn, unyielding, set, stiff-necked; — (I, 893) = **caprichoso** (II, 499)

cárcel *f.* prison

carga burden, charge, obligation, indignity

cargar burden, load, overload, weigh down; — **con** load up with, take charge of, take away (**cargar con = tomar, llevarse**) II, 270

cargo charge, office; dignity, honor (*see note to* III, 795)

caricia caress, petting, love

cariño affection, kindness, tenderness (*differentiated slightly from* **amor** *in being less inclusive*)

carne *f.* flesh

carnero sheep, mutton

carnicero butcher

carnicero, -a carnivorous

cas = casa

casa house, home; **en mi — y en mi calle** at my house and in my street, I, 380; **Que el defecto ha de dejarme en —** which has the shortcoming of leaving me with the defect (*just as I am*), I, 518-19

casar marry; *refl.* get married, marry, be married; — **con** marry

caso case, account; **hacer — de** take notice of; **no hacer — de** not to mind, pay no attention to

castañeta castanet (*a small instrument for beating time composed of two concave pieces of hard wood resembling in shape a chestnut:* **castaña**)

castigar chastise, punish

castigo chastisement, punishment, penalty

Castilla Castile (*province occupying a good portion of Central Spain and adjoining the province of Estremadura in* *which the scene of the play is laid)*

causa cause, case, trial, lawsuit; affair, occasion; reason, pretext

cautela caution; craft, cunning; **Ya verdad o ya —** whether genuine on the one hand or fake on the other, II, 5–6 *(see* **ya***)*

cebada barley

cebolla onion

celebrar celebrate, respect, commend, praise, laud, appreciate

celo zeal, ardor; *pl.* jealousy

celosía latticework

celoso, –a jealous, suspicious

cena supper

cenar sup, take supper

centro center, right place; **estoy en mi —** I'm in my element, I'm perfectly satisfied, II, 395

ceñir gird

cerca *adv.* close, near; **— de** *prep.* near

cercano, –a near; **— a** close by, adjoining

Cervantes, Miguel de (1547–1616) *the greatest literary genius of Spain, author of the Don Quijote. He is to Spain what Dante is to Italy and Shakespeare to England, all three occupying the highest rank in the literature of the world*

cerrar close in on, fall to, struggle

cesar stop, cease; **cesa,** that will do, II, 16

ciego, –a blind; in the dark, II, 876

cielo sky, heaven, firmament; ¡ **Vive el —** ! ¡ **Viven los —s** ! *(see* **vivir***)*; ¡ **—** ! heavens !

ciento, –a hundred

cierto, –a certain; **No por cierto,** indeed (*or* certainly) not

cinco five

cisma schism; concatenation, maze, vortex, abyss; disturbance, discord

citar cite, mention, summon

cítara zither (*musical instrument like a guitar, but smaller)*

claramente clearly

clarín *m.* bugle

claro, –a clear, bright, transparent, evident, plain, obvious; illustrious

cláusula clause, phrase, expression, melody, murmur

clavo nail (*see note to* III, 489)

cobarde coward, craven

cobrar collect, regain, make good

cocina kitchen, cookery

coger seize, take, catch; **Todo este lado me coge** (*the wound)* affects my whole side, II, 512

colegir gather, deduce, infer

cólera anger, rage, passion

colgar hang (up)

color *m.* (*fem. in old Spanish and so used by Calderón:* I, 642, *and also, generally, by Cervantes)* color, pretext, excuse

comarca *division of territory comprising a number of towns;* district

comer eat

comisario commissary, quartermaster

como as, like, as well as, how, that about, if, as if, almost, just as

¿cómo? how? how so? why? what do you mean? how is it that?; *¿—que . . . ?* how?; **el —** the way how (*to fight*); *¿— no?* why not? III, 370

comodidad *f.* comfort, convenience; advantage, profit; solace

compañía company; **hacer —** (**a**) keep company (with)

compás *m.* compass, enclosure; measure, time, cadence (*musical term*)

cómplice *m.* accomplice, associate, partner

comprar buy

con with, by, in; in spite of; **— que** and so, so then, therefore, and, well; **Y — ser mío** and although it is mine, III, 511

concejo *civic body of a small town*, municipal council

concluir conclude, finish

conducir guide, lead; transport, bear, carry

confesar confess

confesión *f.* confession, declaration, statement, deposition

confianza confidence, trust, trustfulness

confidente *m.* confident

confuso, –a confused

conjurar conjure; *refl.* conspire, plot

conmigo with me

conocer know, recognize, be acquainted with; **No se deja —** that is hardly recognizable, III, 73

conseguir succeed, obtain, get, procure

consejo counsel, advice; court, assembly of magistrates, council; **— de guerra** council of war

considerar consider, take heed, reflect, regard, contemplate, behold (*as a synonym for* **mirar**)

consigo with himself, herself, itself, oneself, yourself, themselves; within himself, *etc.*, II, 705

consistir consist

consolado, –a consoled, comforted

consolar console, comfort

constar be clear, be evident, be certain

consuelo consolation, comfort, solace

consumir consume, destroy, engulf, swallow (H. *reads:* **conduce el mar**)

contar tell, relate, count, III, 105

contigo with thee, with you

continuo, –a continual, constant, lasting, uninterrupted

contra against

contraste *m.* assayer (*of the purity of gold*); contrast

convenir suit, become, befit, behoove

convento convent

convertir convert

copa goblet, glass, vase, cup; branches, foliage of a tree, bower

corazón *m.* heart; courage

corderilla lamb

cordura prudence, sanity, wisdom

corona crown, glory

coronar crown; *refl.* be crowned

cortés courteous, polite

cortesía courtesy, politeness, civility, good manners

corto, -a short; small [closure

corral *m.* yard, back yard, en-

corredor corridor, entry way, balcony, window, gallery, covered passage; **echar por un —** expel forcibly, "fire" from the hall-way, balcony, *or* window

correr run; travel; blow; traverse; **Veloz corriendo** swiftly running on (*i.e., the horse, after falling*)

corrido, -a disconcerted, dumbfounded, ashamed, abashed

cosa thing, matter, affair, case; **no hay —** there isn't anything, there is nothing

cosica K. = **cosita**

cosita little thing, trifle

costa cost, price (*paid for a thing*), charge, expense (*of living*); **ayudilla de —** a little help towards meeting my expenses (*besides the regular pay*), I, 622; coastland, coast; **jinete de la —** mounted knight (*armed for the protection of the Spanish coast; see note to* II, 402)

costar cost

crecer grow, increase

creer believe, think; **no se ha de —** one has not to take notice of, III, 532

crespo, -a crispy, crisp, curly; **Pedro C—** *name of the Alcalde* (*quite a common name among Spanish peasantry; cf. Introduction,* XVIII *and* XXII)

criada maid, servant

criado servant

criar create; bring up; *refl.* be brought up, III, 434

Cristo Christ; ¡ **Vive —** by heaven! so help me, heaven! by all that's sacred (*see vivir*)

cruel cruel

crueldad *f.* cruelty

cuadrilla *meeting of four or more persons;* squad, troop, band

cual *adj. and rel. pron.* which; **el —, la —, lo —** he who, she who, which; **por lo —** wherefore

¿ **cuál?** *adj. and pron.* which? what? which one? what one?

cualquier *adj. and pron.* (*used before noun for* **cualquiera**) whatever, whosoever, any, whoever, whichever; each, every, some or other, any and all

cualquiera *pron.* anybody, anyone, anything, somebody, everyone

cuán *see* **cuánto**

cuando when, if, in case, since; **— vos De ayer acá lo seáis** granting that since yesterday you are that (*represent judicial authority*)

cuanto, -a as much, as, as much as, as long as, all, all that which; *pl.* as many as, all who, all of (us, you, them); **—s son** (*as many [of them] as there are*) *i.e.,* all of them, the entire body

cuánto how much

cuarto room

cuatro four

cubrir cover

cuchilla large knife, cleaver; sword (*poetical*)

cuchillada cut (*or* slash) with a knife; **a —s** with sword thrusts, with slashes, with the sword

cuello neck

cuenta account, reckoning; **por mi —** for my own account

cuerda rope, cord, string (*of musical instrument*); match for firing a gun, III, 830; **trato de —** punishment with the rope (*see note to* I, 815); **Y con las —s caladas** and with lighted matches, III, 830 (*a kind of slow match or fuse used for discharging an arquebus; see note to* I, 147)

cuerdo, -a prudent, judicious, sensible, discreet

cuerpo body; **— de guardia** (*a certain number of soldiers constituting a guard detailed to look after some particular person or place; also the place of assembly itself where the guard is stationed*); **¡ — de Cristo con quien** a plague on him who . . . ; **¡ Aquí del — de guardia!** holloa there, bodyguard, help!

cuesta hill, slope (*see* **abajo, arriba**); **a —s** on (*our*) backs, at (*his*) side

cuestión *f.* question, subject; dispute, quarrel

cuidado care, vigilance, attention, solicitude, anxiety, fear, concern; **salir espero de un — I** hope to free myself from an anxiety, I, 634; **tener —**

con look out for, III, 403-404; **tener —** take care

cuitado, -a wretched, unfortunate; **un — a** miserable wretch

culpa blame, guilt, fault, error, sin; **tener — de ello** be to blame for it

culpar find fault with, blame

cumplir fulfil, perform; **Que has de —** what you are able to perform, I, 455; behoove, be fitting, be opportune, be timely II, 440

cura cure, remedy, medical treatment

curar cure, heal, restore to health; *refl.* recover (*from*) get well, be cured; **antes de curada,** before it (*the wound*) was cared for, III, 352

cuyo, -a of which, of whom, whose, which, whereof

Ch

Chillona Chillona (*the screamer*), II, 431; **la —** Chillona (*article is used here familiarly; cf. note to* La Chispa, *page* 114)

chispa spark, ember; vivacity, penetration; *name applied to a talkative, gossiping woman;* (*see note to* II, 437); (**La**) **Chispa,** *name of Rebolledo's woman companion, the vivandière or sutler, suggestive of* **chispa** (*cf.* **Rebolledo**; *see note to* La Chispa, *page* 114)

Chispilla *dimin. of* **Chispa,** *q.v.*

D

dádiva *f.* gift

daga dagger; short sword

dama lady

daño damage, injury, harm, hurt

dar give, transmit, inspire, strike; lodge (*a complaint*); knife; **he de — le** I'll come down on him, " land on him "; **— en** find, take into one's head, I, 361; **— con** meet, encounter, II, 596; **dale con la ventana en los ojos** shut the window down in his face; *refl.* surrender oneself; **Qué más se me da . . .** what more concern is it to me . . ., what difference does it make to me . . ., what is it to me . . . , III, 880, 920; **Pues dárselos** *i.e.,* **he de dárselos**, III, 755

de of, to, for, from, as, with, about, than, by, on

deber ought, must, owe, have to

decir say, tell, speak; ¡ **Vive Dios, que ha dicho bien** by heaven (*I tell you*) he has spoken well; **diz** *an impersonal form frequently used in Calderón = Latin dicitur, or se dice*)

declinar decline, wane, approach the end; **Antes que decline el día** before sundown

defecto defect, imperfection, fault, blemish; inconvenience, drawback

defender defend, safeguard

defensa defense; **Y si se pone en —** and if they defend themselves

defeto к. = defecto

defuera outside; **por —** on the outside; **Encerraré por de-**

fuera A mis hijos I'll lock my children in by locking the door on the outside, II, 382

degollar decapitate, behead, III, 932; (*see note to* III, 926)

deidad *f.* deity, divinity; god, goddess

dejar leave, let, abandon, overlook, cease, refrain, allow, let go, give up, prevent, stop, bequeath; **— de** cease to, give up; **no dejara en mi vida** I never should have left, I, 74; **Dejaré Un poco la casa quieta** I'll let the house get a bit quiet, II, 383–384

del = de + el

delante (de) before, ahead, here present, in the presence of, opposite, in front; **Más de lo que está —** more (*money*) than you have, I, 456

deleitar delight, please, content

delinquir offend, transgress the law; prove false (*to one's trust*), be neglectful

delirio delirium, ecstasy, rapture

delito crime, wicked deed, outrage

della = de + ella

dellos = de + ellos

demás *adj.* other, remaining; **lo —** the rest; **los —** the others

demás *adv.* besides, all the more; **— de que** the more so in that, all the more so as

demonio devil

dentro inside, in there, within (*not yet on the stage*); **— de** within, in

derecho, -a right

derretir melt, dissolve, liquefy (*see note to* III, 507) desa = de + esa

desacato disrespect, incivility, unseemly conduct

desairado, –a slighted, unrewarded, disdained, humiliated

desalmado, –a inhuman, merciless

desangrar bleed one to excess; *refl.* lose much blood; ¿ No fuera mucho peor Que te hubieras desangrado? wouldn't it be much worse if you had bled to death?

desatar untie, loose, loosen

desatino folly, extravagance, •foolishness; absurdity, fatuity, nonsense; raving

descansar rest, repose

descanso rest, repose, peace; diversion, recreation

descollarse rise, emerge, appear

desconfiado, –a distrustful, suspicious, jealous

desconocido, –a unknown, unnoticed, unrecognized

descortés discourteous; uncivil; impudent

descubrir discover, disclose, reveal; *refl.* be uncovered, revealed, exposed, discovered

descuidar forget, make oneself easy, overlook, lay aside (anxiety)

desde *prep.* from, since, after; — lejos at a great distance; — luego immediately, thereupon; *conj.* — que from the time that, since, ever since

desdén *m.* disdain

desdicha misfortune, ill luck, unhappiness, woe, ruin, III, 456

desdichado, –a unhappy, unfortunate, unlucky; *m. and f.* wretched, unfortunate man *or* woman

desear desire, want to; Y pasar de allí desea *i.e.*, (se) desea one desires (it is desired) to march on, I, 39

desembarazo ease, unconcern; con — free and easy, without hesitation, I, 42

desenfado *m.* naturalness, free and easy way, unconstrained manner (*see* despejo)

desenvainar unsheathe (*a sword*)

deseo desire

deshacer unmake, undo

deshecha simulation, evasion, makeshift; fiction; hacer la — dissemble, feign

deshonrar disgrace, dishonor

designio H. design, purpose; feature, attribute, trait, specification; *see* disinio

desinio = designio

deslucir tarnish, impair the lustre (of), stain, defile

desnudo, –a uncovered, bare; drawn, unsheathed

deso = de + eso

despacio slowly, at leisure

despedir take leave (of)

despejado, –a *adj.* smart, quick, wide-awake, sagacious

despejar clear away obstructions, surmount obstacles

despejo vivacity, cleverness, smartness; su — y su brío his liveliness and his ardor, I, 616 (*cf.* II, 621: su desenfado y su brío = his spontaneity and his enthusiasm)

despertar wake (up), awaken

despoblado uninhabited place

después later, after, since, afterwards, in the next place, also

desta = de + esta

deste = de + este

desto = de + esto

destreza mastery, skill

destruir destroy

desván *m.* garret, loft, attic

desvanecido, –a proud, haughty, puffed up

desvergonzado, –a shameless, impudent, audacious

desvergüenza shameful action, disgrace, scandalous proceeding, piece of effrontery; impudence, insolence

detener stop, stay, put a stop to, detain, hold back; *refl.* stay, stop, delay

determinar determine, make up one's mind, decide, resolve; be determined, be decided, be resolved

deuda debt; **Que cobréis de mí la** — that you recoup from me the debt, I, 713

deudor *m.* debtor

día *m.* day; **en todo el** — all day long (*a temporal clause followed by a negation not expressed; see* **apartar,** II, 11; *cf.* II, 131); throughout the day; during the day, in the daytime, II, 487, 517; III, 318; (*equivalent to* **todo el día** *i.e.,* **antes que decline el día**)

diablo devil

diamante *m.* diamond

dicha happiness, good luck, chance, good fortune; **por** — by chance

dicho saying, remark, statement, declaration, deposition (*in this sense used in judicial language,* III, 624); all that has been said, the entire matter; **lo** — — (*see note to* III, 779)

dicho, –a above mentioned, aforesaid, the said, the same

dichoso, –a happy

diente *m.* tooth

difícil hard, difficult

dificultad *f.* difficulty

digno, –a worthy, deserving

dilatar dilate, widen, expand; put off, delay, defer, prolong

diligencia diligence; errand, affair, business; haste, eagerness, persistence, effort, assiduity, activity; **hacer** — **Diligencias exquisitas** make supreme efforts, III, 293–294

dinero money

Dios *m.* God; **¡voto a** —**!** by heaven! (*an oath of menace, much used by soldiers*); **quedad con** — God be with you, farewell, go in peace; **¡vive** —**!** by all that's holy!; **por** — for God's sake; for goodness sake; **Válgame Dios** may God help me! heavens! bless me!; **Con** — **os quedad** God be with you, good-by, II, 671; **Por la gracia de** — by the grace of God, by God's mercy; **par** — = **por Dios** (*possible influence of Fr. par dieu*)

discreción *f.* discretion, prudence, good judgment, cleverness, skill, wit

discreto, –a prudent, discreet

disculpa excuse, justification, exculpation

disculpar excuse, palliate, explain, exculpate, account for

discurrir roam, ramble about

disgustar disgust, displease, offend; *refl.* be displeased, take offense, take affront

disgusto offense, annoyance, vexation, displeasure

disimular dissemble, pretend, conceal, deceive, hide (*one's feelings*)

disinio к. *see* designio

dislate *m.* nonsense, absurdity

disparate *m.* nonsense, blunder, absurdity

distancia distance

distinto, –a distinct; **mal —** indistinct(ly), II, 881

divertimiento diversion, amusement, distraction, pastime

divertir amuse, distract, entertain; turn aside; *refl.* amuse oneself, enjoy oneself, have a good time

divino, –a divine, not of this earth, not for mortal beings; **mesa divina** a Divine table (*in that, like the Divinity, it has neither beginning, middle, or end*) I, 283–284

diz (*used impersonally; contraction of* dicen *or* dícese *frequent in* Calderón) they say, II, 790 (*see* decir)

do к. (*antiquated*) = **donde** (*for* do, *the Hartzenbusch text reads* en que, II, 192, *and for* dó dónde, III, 775)

dó = **dónde**, III, 775

dolencia aching, pain, ache

doler make sorry, hurt, pain, afflict, feel for; *refl.* pity, be sorry for; **—de** take compassion on; **¡ Duélase el cielo de mí!** may heaven have compassion on me! III, 345

dolor *m.* pain, grief; **con el — desta pierna** in spite of the pain in this leg, I, 790

don *m.* gift, present

Don, don Don, sir (*followed by a Christian name; a title of honor given to men of rank in early times, but now simply marking respect and equivalent to* Mr.)

donaire *m.* grace (*in speech and acts*), witticism, graciousness, elegance, winning way; **¿ Pues que había de hacer? —** Well, what was I to do? Laugh at him? (Feel like making fun of him, wittily, I, 366; *hacer — de una cosa = burlarse de ella con gracia.* Zerolo; *see* sentimiento)

Don Álvaro de Ataíde *see* Álvaro

doncella maiden, young girl, damsel

donde where

¿ dónde? where?; **¿ de —?** whence? from where?; **¿ á —?** whither? where?

Don Lope de Figueroa *see* Lope de Figueroa

Don Mendo *see* Mendo

Don Quijote celebrated hero of Cervantes' famous novel "*El ingenioso hidalgo Don Quijote de la Mancha*" (*see note to* I, 217)

dormir sleep

dos two; **los —** both (of you, of them)

dote *m.* dowry

duda doubt; **No pongas —** have no anxiety, II, 584

dudar hesitate, doubt, have scruples, be concerned; question, query, be perplexed.

dudoso, –a doubtful, dubious, uncertain

dueño master, lord, owner, proprietor; sovereign, arbitrator, man

durar last

E

e and (*before* i— *and* hi—, *but see note to* I, 479)

ea come now

eclipsar eclipse, obscure, efface

eco echo

echar put, lay, place, throw; — por un corridor " fire out " of an entryway; — de ver remark, observe, perceive; — un bando *see* bando ; Traeré a — a los pies vuestros I shall bring to cast at your feet, III, 482; echado en el suelo prostrate on the ground, III, 538; Un par de grillos le echad put a pair of shackles on him, III, 578

edad *f.* age, time, epoch

edificio edifice, building

efecto effect, consequence, purpose, result, end; en — in fact, in truth, after all

efeto = efecto

ejecutar execute, carry out

ejecutoria patent of nobility, document (*often elaborately ornamented with gilded illuminations, containing pedigree, or title, and detailing privileges and exemptions, etc.*)

ejemplillo little example, instance, precedent; apothegm, story, moral, I, 502

el the; — que te vayas the fact of your going, II, 758 (*cf.* II, 815: — que me sigan)

el *dem. pron.* the one, that, he, him; — de that, that one; — que the one who

él *pers. pron.* he, him, it

elección *f.* election

elegir choose, select

ella she, her, it

ellas they, them

ello *impers.* it; ¿Cómo es — ? how is this matter? (*Texts B, C, D have* ¿Cómo es eso? *a more usual locution,* I, 721)

ellos they, them

embarazar embarrass, hinder; *refl.* get embarrassed, confused, *or* perplexed

embarazo confusion

embarcar ship, embark

embozado, –a muffled up (*with the face covered up by one's cloak*)

empacho pusillanimity; vexation, spite; shame; De — lloro ofendida I shed tears for the outrage I dare not express

empañar tarnish, dim, cloud, blur, blemish, sully

empeñar pledge; be in honor bound, III, 808

empeño obligation, duty, business, engagement

empezar begin

empresa undertaking, enterprise, purpose, design

en in, on, upon, at, to, onto, of, among, in the case of; caer — come upon, encounter, fall over; realize, understand (*redundant:* — todo el dia II,

487, III, 318; *and in:* — **todo hoy** I, 838)

enajenar alienate, transport; **Os debió de — De vos** must have made you beside yourself

enamorar cause to fall in love, excite *or* inspire love, woo; *refl.* fall in love

encender glow, set fire to, kindle, enkindle, inflame

encerrar shut up, lock up, confine, harvest, house

encima *adv.* above, over; **por — de** *prep.* above, over

encina oak tree

encomendar recommend, commend, entrust, commit

encontrar meet (with), find; *refl.* — **con** meet (with), find, come upon

encubrir cover up, hide, conceal, palliate

enemigo enemy

enfadar annoy, vex, anger; *refl.* be (become *or* get) angry *or* annoyed; — **de** be displeased *or* tired of

enfado vexation, annoyance, irritation

engañar deceive, delude

engendrar engender, beget, create

enmendar make amends, compensate

enmudecer become silent

enojar vex, make angry, annoy; *refl.* get angry, be vexed, annoyed, *or* offended

enojo anger, vexation, annoyance

ensancha *m.* widening, extension, enlargement, elasticity;

dar —s give free rein, liberty, *or* license (*dar — s= dar demasiada licencia o libertad para algunas acciones.* Zerolo. *Texts B, C, D have* **ensanches**, *due probably to the following* **es**)

enseñado, –a instructed, used to

enseñar teach, instruct, train, educate

ensordecer grow deaf, close one's ears

entender understand; know, judge, find out, believe, think, infer; hear

entendimiento understanding, judgment, intelligence, mind, sense, intellect

enternecer soften, make tender, move to compassion; become tender, be affected, be softened, become moved (*to pity*)

entonces then

entrada entrance; gate

entrambos, –as both

entrar enter, go in, come in; *refl.* get in, enter, go (in), come (in); **os entráis... en otra jurisdición** you invade (trench upon) another jurisdiction (*than your own,* III, 799–800)

entre between, among; inside of

entreabrir open slightly, leave ajar *or* half way open

entregar hand over, give up, deliver

entretejer interweave, entangle; **la entretejeda maleza** the thick underbrush, III, 232–233

entretener amuse, entertain, divert, beguile, take up; **íbamos**

entretenidos we were being entertained

enviar send

envidia envy, strong desire, longing

era threshing floor

errado, –a erring, wandering

errar err, mistake, misjudge; **por no** — make no mistake; offend; *refl.* wander about; **mis erradas plantas** my wandering feet, III, 41; **Y si lo que la voz yerra** and if what the voice fails (*to express*), III, 191

error *m.* error, mistake

escalera staircase

escapar(se) escape, flee; run away

escarcha frost

escena scene

esclavo, –a slave; **Aquí está una esclava vuestra** here I am at your service, II, 310

escoger choose, select

esconder hide conceal; disguise; *refl.* be concealed, disappear; **escondido** concealment; **en escondido** in concealment, secretly; **lo escondido** the remote (*hidden*) part, II, 865

escribano clerk of the court

escribir write

escrúpulo scruple, doubt; grain, particle

escuadrón *m.* squadron; body of troops; batallion

escuchar listen, hear; ¿ **Quieres ... Un ejemplillo escucharme?** will you listen to me relate a little instance ?

escuela school; teaching, doctrine

escupir spit forth, dart, belch forth

ese, esa *adj.* that (*of yours*), this

ése, ésa *pron.* that one, that, all that; he, she

esfuerzo strength, courage, heart, spirit

eslabonar link, interlink, unite

eso *pron.* that, that matter, what you say, such a thing, the like of that

esotro, –a this *or* that other

espada sword; ¡**quién tuviera una** — ! would that I had a sword ! II, 842.

espadilla *red sword-shaped insignia of the order of Santiago;* old sword

espalda back, shoulder(s); **hacer** —**s** help, protect one's flight; **volver la** — turn one's back (*in flight*), III, 638–639

espantar terrify, scare, alarm; *refl.* wonder, be astonished, be alarmed

español, española Spanish

esparcido, –a scattered; gay, affable expansive, cordial, frank

esperanza hope

esperar await, expect; wait (for), stay; **Tan nunca esperada cisma** such an unexpected whirlpool (*of dissension*), III, 126

espesura thicket

esposo husband

espuma *f.* foam

esquina corner

esquivo, –a elusive, wary, diffident; cold, disdainful, scornful; shy, ungracious

estancia room, retreat, abode (*refers in general to any and every place of habitation*, garden, garden bower, II, 190)

estar be, remain, stay, dwell, be left, behave, act, exist, live, be ready; **y a tu orden hemos de —** and we must obey you, II, 816–817; **— a** be subject to, be in danger of, I, 543–544; **y aun bien que está Cerca de aquí** and also (it is lucky) indeed that he is near here, III, 568–569

este, –a *adj.* this, that

éste, –a *pron.* this, this one, the latter; he, him, she, her

estimación *f.* esteem, regard, respect, reverence; **hacer — de** think well of, III, 427

estimar esteem, respect, prize

estío summer

esto *neut. pron.* this, this thing, this matter

estómago stomach

estorbar hinder, hamper, obstruct

estotro, –a = esto + otro, –a

estrecho, –a narrow, strict, II, 324; rigid, austere, hard

estrella star

estrena *first use of a thing*, inauguration; **Para — de justicia** as a handsel of your judicial functions, *or* in order to enter upon, *etc.*, III, 314

estropear cripple, maim

estudio study; **en el rustico —** in the rural school

eterno, –a eternal, for everlasting

excelencia excellence; **por —** most delightfully, II, 136

exceso excess, transgression, intemperance; immoderate action

exclamación *f.* exclamation

excomulgado, –a accursed (*in this sense*, **descomulgado** *is more frequent*)

excremento excrement, excretion

excusar excuse, exempt, prevent; avoid; *refl.* be exempted; **— de** get rid of, be relieved (from)

exención *f.* immunity, exemption, privilege, franchise

explicar explain, interpret, expose

exquisito, –a exquisite; consummate, rare

extrañar wonder at, find strange, be astonished at

extraño stranger

extremo, –a extreme, highest degree; demonstration, infatuation, desperate passion, protestation, extremity; radical measures; hullabaloo, uproar, row; **en —** extremely, in the utmost degree

F

fácil easy

faisán *m. f.* pheasant (*a delicacy for a* **caballero**)

falso, –a false, wrong

falta want, lack, need; shortcoming; failing; **hacer —** cause a lack, be needed *or* (*English subject Spanish indirect object*) have need, I, 312

faltar fail, lack, be missing; forsake, go back on; disappear, be wanting; die; be at stake; **no me falta . . .** I don't need . . .

fama fame, reputation, good name, honor   [II, 33

familia family; (*figuratively*) set,

fantasma *m.* phantom, apparition, specter (*used as feminine by dramatists, and also in the* H. *text of the play. Krenkel gives:* i . . . Este — a mi puerta, Calzado de frente y guantes! I, 411–412)

farol *m.* lantern, beacon light, luminary

fatiga fatigue; hardship, toil; suffering, anguish, misery

favor *m.* favor, protection; aid, help, service; **en — de** to preserve, III, 648–649; **Hacedme — que venga** do me the favor to have (your daughter) come, II, 286 (H. *reads:* **Haced me merced**)

favorecer favor, look with favor upon

faz *f.* face

fe *f.* faith, fidelity; **a — de hidalgo** on my honor as a nobleman, I, 369

fecha date; **No le culpen La —** don't let them blame him for the date, II, 432–433

Felipe II Philip II (*king of Spain; reigned from 1556 to 1598; see note, page* 113, El rey Felipe II *and Introduction* I, III, XIX)

fementido, –a false, treacherous, faithless

festejar woo, make love (to), court

fiar trust (to *or* in), confide (to *or* in); intrust; *refl.* trust

fiereza fierceness, cruelty, fury

fiero, –a fierce, brutal, cruel, harsh

fiesta merriment, rejoicing, festivity; **de —** in a merrymaking mood

figueroa *Ptgse.* figueira, *O.Sp.* higuera fig tree + o(j)o eye = fig-tree eye; **de Figueroa** of *or* from Figueroa (*a small place, Peyto Burdelo, near Mondoñedo, in northern Galicia where a battle took place about 799 under King Bermudo I. The Spanish knights who fought on the field where were many fig trees, were called Figueroas. They adopted the fig-tree eye for their coat of arms* K.). See Introduction, XXVI.

figura *f.* figure, form, build, make-up; *m.* stiff, pompous individual; ridiculous character, (curious) type *of individual*, freak, I, 220, II, 528

filosofía philosophy

fin *m.* end, ending, termination; purpose; **en —** in fine, finally, in short; **al —** in the end, at last, in short, after all

fineza fineness; expression, word *or* act (of kindness, friendship, regard, love)

fingir feign, pretend

firmar sign

firme constant, steadfast

flaco, –a lean, thin, weak, feeble

Flandes Flanders (*see note to* I, 532)

flaqueza weakness, faintness; feebleness, infirmity; leanness of body (*word play on feebleness and leanness,* II, 531)

flor *f.* flower, *crème de la crème*, upper crust; pick, I, 102

fortuna fortune, chance, fate; evil fortune, III, 37 (*as contrasted with* **ventura** = *good fortune*)

forzar force, compel, oblige; violate, desecrate, outrage

forzoso necessary

franco, –a free to all, liberal, bountiful, generous; **mesa — a** free lunch

frente *f.* brow, forehead, front, countenance; **calzado de —** *see note to* I, 412

fresco, –a fresh, cool

frío, –a cold, cool

fuego fire; **Poned —** set fire

fuente *f.* fountain, spring

fuera *adv.* outside, without; **— de** *prep.* apart from, besides, outside of; **— — que** besides which, besides the fact that

fuerza strength, force, intensity, II, 649, severity, might, necessity, need, obligation; *pl.* strength, might, force; **ser —** be necessary, II, 751, III, 368; **hacerles —** force them, II, 208; **¿Es — Que . . .** must it needs be, II, 98; **con la — Del sol** with the heart of the sun, II, 262–263

fuga flight   [fleeting, brief

fugitivo, –a fugitive, runaway,

fulano so and so, such a one

fulminar flash (forth), light up, illuminate; **sin — el proceso** without going too closely into the case (*by investigating before pronouncing sentence*); proclaim

fundar found, establish, ground (*on sound principles*); **Y música más fundada** and the best kind of music, II, 177 (*i.e., something more is required than the ordinary castanets*)

furia fury, rage, frenzy

furor *m.* fury, madness, anger

futuro future (tense)

G

gala court dress, full dress; ostentation; choicest part

galán *m.* cavalier, handsome man, I, 565, well made man

galán *adj.* See **galano**

galano, –a elegant, fine, gay, dashing

galgo greyhound

gallina *f.* hen, fowl; *m.* coward, I, 655

ganar gain, win, earn, acquire; make up for, III, 499

gañán *m.* (*used disparagingly*) farm-hand, laborer, rustic, country lout, peasant

garganta throat

Garlo Garlo, II, 437; **el —** *see note to* II, 437

garrote club; *instrument of torture by which criminals were strangled;* **dar —** strangle; **El — más bien dado** the best (*capital*) punishment ever given (*Early title* [*Alcalá, 1651*] *of El alcalde de Zalamea*)

gastar waste, use, spend; wear

gemido groan, lamentation

gemir groan, moan, grieve

general *m.* general

generosamente generously; intrepidly, dauntlessly, valorously

generoso, –a noble, generous

gente *f.* people, crowd, soldiers, persons, following

Ginesa *name of a servant of Isabel,* II, 2

gira = **jira** (*a more modern form; cf. former* **ginete,** *now* **jinete,** II, 140)

gitano gypsy (*see note to* I, 5)

gloria glory; good fortune

gobernar govern

gordura stoutness, fleshy, plump physical condition (*see note to* II, 532)

gorjear warble, trill, carol

gozar enjoy

gracia grace, kindness; wit; mercy, pardon; *pl.* thanks (*see* **Dios**)

grande great, tall; important

granjear bring about, obtain, gain, make possible

grano grain, seed

grave important, weighty, ponderous, haughty, lofty, solemn, serious

greda clay (*used for taking out stains*)

grillo cricket; *pl.* fetters, shackles, irons (*with which the feet were shackled*)

grito cry, scream, shout; **a —** with loud cries

Guadalupe (*name of a town in the old province of Estremadura in the part now called Cáceres, some thirty miles directly north of Zalamea. It has to-day about 3000 inhabitants;* I, 846; *cf. note to* III, 944)

guadarnés *m.* (**guardar** + **arnés**) locker, case, armory

guante *m.* glove

guardar keep, guard, protect, lock up, shut up, confine; ensure, provide; *refl.* be shut up; **Dios (el cielo) os guarde** may God (Heaven) protect you (*an old form of salutation formerly much in use and frequently in answer to the polite form:* **quedad con Dios,** II, 376, 672)

guardia guard (*see* **cuerpo**); **cuerpo de —** assembly place; guardroom

guarnecer adorn, furbish, decorate, set (*jewels*)

guerra war

guía *m. f.* guide

guija pebble

guitarra guitar (*the instrument of all others preferred for serenading: stage directions preceding,* II, 391)

gusto taste, sense; contentment, complacence, discernment; pleasure, liking

H

ha (*from* **haber** *indicating lapse of time*); **si — ya treinta Años** if now for thirty years, II, 258

¡ ha ! *interj.* ah! (H. *reads* **¡ ah !**)

haber have; *impers.* **hay, había** there is, there are, there was, there were, *etc.;* **— de** (*volition or futurity*) be going to, be about to, shall; be obliged to, have to, be to, be able to, must, can, should, would, could; **¿Qué hay ?** what's the matter ? anything new ? **Claro está que no habrá sido otra cosa** it is obvious there cannot have been any other reason, I, 753–754 (*the future perfect here indicates that an unlikely assertion has been uttered*); ¿Qué habíais de hacer? (*the imperfect with the force of a conditional*) what would you do about it? I, 765 (*cf.* I, 398, II, 303); ¿Qué ha habido? what's been the matter? I, 785; (*frequently used idiomatically*): Y más no habiendo en el estómago fuerzas ... and especially not being in one's stomach the strength ... *cf.* I, 642; ¿qué? ¿no hay más? what, is that all? III, 848

habitar inhabit, live, stay

hábito dress, uniform

hablar speak

hacer do, make, commit, cause to, bring about, create, play, occasion, have, get to; *refl.* grow, become; hold; ¿qué hace ... what does he gain? I, 510; no — caso not mind, pay no attention; — de las suyas act according to his (*evil*) intentions; no has de — nunca you must never do; ¿Y dióla hecha el diablo? and did the devil give you a bed all ready made? I, 887; hace que se va takes a step towards the door, pretends to go out; — el aposento = aderezar get the room ready, I, 476–477 (*see* deshecha) *see* hecho

hacia *prep.* toward(s), to

hacienda property, estate, wealth, fortune

hado fate, destiny, doom

hallar find, meet with; Vos seáis bien hallado may you be contented, satisfied (*in answer to* bien venido the same to you, I, 567)

hambre *f.* hunger (*see note to* I, 300); tener — be hungry (*cf.* ayuda)

hambriento,-a hungry, famished

harto, –a full, complete; *adv.* enough, sufficiently

hasta until, as far as, even to; no es más de — ver no longer than until I can see, II, 400

hay *see* haber

hazaña deed, exploit

hecho (*pp. of* hacer) done; lo — — what is done cannot be un-heredar inherit [done, III, 782

herida wound; dar una — wound

herir wound; strike (*like lightning*) [ning]

hermana sister

hermano brother

hermoso, –a beautiful

hermosura belle, beauty (*a term more comprehensive and including greater perfection than* belleza), III, 178

hidalgo nobleman; (*in direct address*) sir

hidalgo, –a noble, illustrious, excellent; hidalgote *m.* ceremonious old nobleman (*idea of contempt, the form here in* –ote *being rather pejorative than augmentative*)

hidalguez *f.* nobility

hielo ice, frost, cold

hija daughter

hijo son; child; —s children

historia history, tale, narrative, story, narration

hoja leaf

¡ hola ! holloa there !

holgar rest, quit work, be idle; *refl.* have a good time, be glad, rejoice, be delighted

holgazán, –a idle, lazy, inactive; *m. f.* idler, vagabond, indolent person

hombre *m.* man; — **de bien** an honest man; a respectable, honorable man; a man of good character

homicida *m. f.* murderer, assassin, III, 68

homicidio murder; homicide; **hacer el** — commit homicide

honesto, –a honest, decorous, comely; pure, virtuous

honor *m.* honor, reputation, good name; **mi** — (*a circumlocution for the first or third person singular pronoun*) *i.e.*, I, me, III, 329; *cf.* **mi valor**, *see* **valor**

honra honor

honrado, –a honest, honorable, just, fair

honrar honor, respect, do honor to

hora hour, an hour; time; **en** — **buena** well and good; it is well; **un** — (*the shortened forms* **un, algun, ningun, buen, mal** *are frequently used before* **hora** *and two-syllable words beginning with* **a** *and* **ha**, II, 265)

horno oven, furnace

horror *m.* horror

hospedaje board and lodging; providing for (*the entertainment, comfort, well-being of*) guests

hoy to-day; **en todo** — all day to-day, I, 838

huelga rest, repose, leisure, relaxation (**Huelgas**, *name applied to the nuns of certain convents in Spain; see note to* I, 337)

huésped *m.* guest, lodger; host, innkeeper

huéspeda hostess, landlady

huída flight; **ponerse en** — flee, III, 595 (*the commoner expression is* **ponerse en fuga**)

huír flee, run away (from); **has de irte huyendo** you are to go on the run, I, 644

humildad *f.* humility

humilde humble, modest, meek; **por [ser]** —**s** through being modest, II, 706; **ya de** — **ya de altiva** now of a humble, now of a haughty woman

humillar humble

humo smoke; **tan poco** — **en su casa Él hace** as little time does he remain in his house, II, 9

hurgón *m.* thrust in fencing; "something doing," mix-up; **que ha de haber** — (*I can tell you that*) there's going to be a fight

hurtar steal, rob, deprive (of)

I

ida departure

ignorar not know, be ignorant of; **no** — be well aware; **que como de otras no ignoran** that as of other (women) you know well

igual equal, alike, equally (urgent), II, 884

igualmente likewise, equally

iluminar shed light, illumine *or* illuminate (*as does a lamp or candle; see note to* III, 212)

imaginar imagine, suppose, conceive, think, hit upon; ¡ **Cuando vengarse imagina** . . .! when (my honor) thinks to avenge itself = when I think of avenging myself, III, 328

impaciencia impatience

impedir impede, hinder, prevent

imperio empire, kingdom, realm; sway, dominion

impertinencia impertinence, nonsense

impío, –a impious, wicked, godless

importante important, essential (*point*)

importar matter, be of moment, be important; **no importa** it matters not

imposible impossible

imprimir impress, imprint, stamp

inadvertencia inadvertence, carelessness, heedlessness, negligence, oversight

inadvertido, –a inadvertent, unwitting, inconsiderate; careless, reckless

incendio fire, conflagration

incitar incite, stimulate, excite, spur; **que incitan = son incitados,** III, 250

inclinar incline, influence, persuade   [token

indicio indication, mark, sign,

indio, –a Indian; blue, azure; *m.* Indian (*see note to* II, 715)

inducir induce, persuade, influence (*with a view to giving false testimony,* III, 891)

industria ingenuity; subterfuge, pretext, excuse

Inés Agnes, Inez (*Isabel's cousin*)

infamia infamy, disgrace, dishonor

infante infant child (*any son of the king of Spain except the heir apparent* [*Prince of Asturias*]; *a younger prince of the royal blood*)

infeliz unhappy, unfortunate

infinito, –a infinite

información *f.* information, report; (*judicial*) inquiry, investigation

informar inform, advise, post

ingenio mind, faculty, genius, talent, wit(s); **Aunque no sea De mucho** — although it (*the invention*) be not so very clever (*for one who will see her to-day*) I, 597–598

ingrato, –a ungrateful, thankless, ingrate   [wrong

injuria injury, insult, offense,

injuriar injure, insult, wrong

inmediación *f.* contact; *pl.* environs, neighborhood

inocencia innocence

inorme enormous, monstrous

inquietar trouble, vex, stir up, disquiet, worry, disturb, make apprehensive   [ness, storm

inquietud *f.* anxiety, restless-

insignia standard, emblem, symbol of authority (*used in* I, 669 *for the captain's sword*)

instante *m.* instant, moment; **al** — at this very moment, immediately, at once

instrumento instrument; **el pasado** — the rack I have escaped, III, 977; instrument for strangling

intentar intend, try, have the idea, attempt, purpose, contemplate, endeavor (to bring about)

intento intent, purpose, idea, intention

interior *adj.* inner, inside; *m.* interior; — **de un monte** within a wood

intercesión *f.* intercession, mediation

intrincado, –a intricate, dense, thick, tangled, closely put together

intrincar entangle

introducir introduce; bring *or* let in; make known, raise, start

invención *f.* invention, contrivance, plan, discovery, ruse, artifice, put-up job, I, 736

invicto (= **invencible**) invincible; noble, valiant, brave

invierno winter

inviolable inviolable

ir go, go on, go about; be; **irá dando** will begin to distribute; **Vaya a Isabel una letra** here goes a couplet for Isabel, II, 332; **Música, vaya** as for music, that's all right; **va = vaya**, there now, now for, now, II, 425; *refl.* go away, go off, go on, go about, move on; **Y si va a decir verdad** and if it be a question of telling the truth, if it is worth while, *etc.*, I, 176; 268; **Que me va la vida advierte** take notice that my life is at stake, II, 561

ira anger, wrath

irritar irritate, exasperate; *refl.* get provoked, be irritated,

become exasperated; **en su venganza se incitan** are inflamed to avenge him, III, 244

Isabel Isabel (*daughter of Pedro Crespo; see Introduction* XXVI

izquierdo, –a left

J

jácara ballad, ditty, song (*in which, especially, something of the picaresque is related*)

jacarandaina (*from* jácara, *a ballad recounting the deeds of ruffians*) assembly of ruffians

jacarandina = **jácara**, III, 610

jacarear sing in the street, serenade (*cf. the similarly formed* **cancionear, sonetear**)

jamás never, ever

jaque *m.* braggart, boaster, swashbuckler (*see note to* II, 430)

jardín *m.* garden

Jesucristo Jesus Christ; ¡ — ! *interj.* heavens! goodness! gracious!

Jesús *m.* Jesus; ¡ — ! *interj.* (good) heavens! well, well! good Lord! gracious! I declare! — **mil veces** — (*expression of pain and horror*) Lord Almighty! II, 273

jineta short lance (*gilded and decorated with tassels used by infantry captains as a token of their rank or symbol of their authority*); **paje de** — captain's page (*because he accompanied the captain and at times carried the lance,* II, 605, III, 621)

jinete *m.* armed horseman; cavalryman

jira picnic, outing (*in which noise, festivity, dancing, etc., formed a part; see note to* II, 140)

jornada one-day march; stage, journey, march; act of a play

Juan John (*son of Pedro Crespo*)

Juanico Johnny (**Juan** + **ico**; *sometimes as in* I, 415, *the diminutive denotes tenderness; sometimes, as in* I, 502, 622, *disparagement*)

juego game

juez *m.* judge

jugar play, gamble, stake; — **a** play

juicio judgment; decision

juntar join, get (*put*) together, meet, assemble; *refl.* meet together, unite, assemble

junto, -a united, joined; **junto** *adv.* near, close

jurador *m.* profane swearer; *adj.*

juramento oath   [profane

jurar swear; make oath, take an oath, vow

jurisdición K. = **jurisdicción**

jurisdicción *f.* jurisdiction, province, power, authority; district, territory

juro right of perpetual property, pension

justicia justice, retribution, punishment; court of justice; **y que sabe hacer — del más amigo** and who knows how to do justice to his best friend, I, 56; **estrena de —,** *see* **estrena; la —** the officers of justice, III, 369; *m.* **el justicia** the minister of justice, III, 405 (*cf.* **gallina** I, 655)

justo, -a just, right, natural

L

la *fem. art.* the (*used frequently before proper names of women in familiar language:* **la Chispa**)

la *pers. pron.* her, it, you (*and used for the dative* = to her, *as in* II, 13)

la *dem. pron.* she, her, the one, that, that one; — **que** she who, her whom, the one who (which); (*used as a dative of the feminine personal pronoun in the* Alcalde: II, 13, 143, 288, *etc.*)

labrador *m.* laborer, farmer, farm-hand; rustic, peasant

labradora peasant girl, village lass, countrywoman

labranza cultivated farmland, tillage

lacayo groom, lackey, footman

ladino, -a (*knowing Latin*) educated, wise, learned; shrewd, intelligent, cunning, II, 305

lado side; **por su —** (*entering*) from his own side (*on to the stage*)

ladrón *m.* robber

lance *m.* cast, throw; incident, affair, occurrence; dispute, quarrel

las (*pl. of* **la**) the

lástima pity, lament, compassion; **da —** you can't but feel sorry for

lazo bow (*in sewing*), loop; bond, fetter

le *pers. pron.* him, to him, to her, you, to you, it, to it

legítimo, -a legitimate, lawful

León Leon (*an old province and formerly a kingdom in N.W.*

Spain); **Más pompa que un infante de —**, I, 171 (*see note to* I, 170)

les them, to them, to you

letra letter, *or* character of the alphabet; couplet, verse, song; **En el tono y en la —** in conformity with the way

levantarse get up

ley *f.* law

liberal liberal, generous, open-hearted

libertad *f.* liberty, freedom; privilege

librar free, deliver

libre free

libro book

licencia permission, leave, liberty

lid *f.* strife, battle, contest, dispute, joust

lidiar contend, fight

limosna alms

limpio, –a clean, pure, undefiled, spotless, untarnished, unsullied

linaje *m.* lineage, race, family, origin

lince *m.* lynx; **Que son —s los pesares** for sorrows are lynx-eyed, III, 215

lindo, –a neat, nice, fine; pretty (*oftentimes somewhat ironical, as in* I, 229)

Lisboa Lisbon (*capital of Portugal*)

lisonjero, –a flattering, pleasing, agreeable

litera litter, (*a kind of*) sedan chair, conveyance (*see note to* II, 641)

lo *neut. art.* the; **— de** the matter of; *see also* **mejor** *and* **necesario**

lo *dem. pron.* that, it (*used for masculine personal pronoun frequently:* **que — matara,** II, 37); **—que** that which, what, the fact that, how much, I, 743; **de –que** than; **Cuando vos De ayer — seáis** if, since yesterday, you are justice personified (= **el justicia,** *i.e. all that justice represents,* III, 393, 405; **justicia** *is used as masculine*)

loa praise (*obsolete now in this sense*); *short dramatic production of a eulogistic character;* prolog of a play

lobo wolf

loco fool; crack-brained fellow; crazy person; *see* **capricho**

loco, –a mad, crazy

locura madness, insanity

lograr get, attain, obtain, succeed in; enjoy, avail oneself of

Lope de Figueroa (Don), *see* **figueroa** *and note page* 113, **Don Lope de Figueroa,** *also Introduction* XXVI *et seq.*

los (*pl. of* **el lo**) the, those

luciente shining, bright, luminous

luego presently, then, so then, afterwards, immediately; *see* **desde**

lugar *m.* place; town, village (*población, menor que villa y mayor que aldea* K.)

luminaria illumination, festival lights, III, 859 (*these were usual and very popular to celebrate the arrival of the king*)

luna moon; glass (*of a mirror*), mirror

lunes *m.* Monday

lustre *m.* brilliancy, polish, splendor

luto mourning, grief, affliction, sorrow

luz *f.* light; **entre dos luces** at dusk, at twilight, at sundown, half-seas over, II, 436

Ll

llamar call, name, term, style; *refl.* be named *or* called

llano plain; flat level stretches of land

llano, -a plain, plebeian (*belonging to the people*); simple, smooth (*word play*, I, 327, 329); obvious, evident, clear, plain, III, 656

llanto weeping, tears, distress

llegar arrive, reach, come, go, get; happen; — **a** succeed in; — **a ver** come within sight of; — **de asiento** settle down; **como llegando Fueren** as [the troops] arrive (*i.e., in the order in which*); **Acabado de** — as soon as I arrive; **¡A qué mal tiempo Don Lope De Figueroa llegó!** How inopportunely Don Lope De Figueroa has come! (*the preterite used as here, occasionally, for the past indefinite*); *refl.* come up; **al que llegare** any one (*the first one*) who gets there, III, 817; **El no haber antes llegado,** see **no**

Llerena *name of a town in the old province of Estremadura in the part now called Badajoz, about twelve or fifteen miles S. W. of Zalamea; has to-day between six and seven thousand inhabitants*

llevar bear, carry (off), spread, take (away), bring, attract; gain, obtain; *refl.* put up with, be borne; get carried away with; — **riesgo** run the risk; **Ya él la lleva** already the air is taking it (*la voz*) II, 424; **llevadle también Preso** take him also prisoner, III, 675–676; (*used for* **tener**) **Es el que más riesgo lleva** II, 124; II, 329

llorar shed tears, weep, cry, lament, bewail, mourn

M

madre *f.* mother

maestro master, teacher

majadero, -a silly; *m.* imbecile, fool, blockhead

majestad *f.* majesty

mal *m.* ill, harm, evil, wrong

mal *adj. used for* **malo** *before nouns*

mal *adv.* badly, ill, unfavorably; little, hardly, scarcely; — **hay a** woe to; **por** — in an unsatisfactory way, III, 714

maldad *f.* wickedness, iniquity, wrong, villainy

maleza brake, underbrush, thicket

malicia malice, perversity; slander, defamation, vilification

malicioso, -a malicious, suspicious, evilly disposed

malo, -a ill, sick; bad, evil, sorry, wretched, wicked; clumsy, awkward, ungainly; inopportune; — **lo veo** it is

hard for me to see it, III,
756

mancebo young man

mancilla stain

mancha stain, spot, blot, stigma

mandar command, give the
word, order, bid, tell; want
(*antiquated*); ¿ **Hay algo que
usted le mande?** is there
anything you (bid him to do)
want of him? I, 466; **Cuando
su merced mandare** when-
ever his worship wants to
(*antiquated use of* **mandar**
for **querer**) I, 480; **Y que no
hay ley que tal mande** and
there's no law that decrees
anything of the kind, III,
616

manera manner, way; **d'esta
— in this way; de — que**
in such a way that, in a way
that; **y vos veréis De la —
que os sirvo = y vos veréis la
— De la que os sirvo** II,
624-625; (*by attraction*)

manifiesto, -a manifest, clear,
open, palpable, salient

mano *f.* hand; **besar la(s) —(s)**
or **besar el pie** *or* **los pies** pay
one's compliments

manojo bundle, bunch

manotada slap, cuff, box

mantenedor *m.* challenger (*term
of knight errantry; see note to*
I, 394)

maña habit, custom; skill, knack,
craft

mañana morning; **por la —** in
the morning, II, 495 H. (K.
reads aquesta —); *adv.* to-
morrow

mar *m. or f.* sea

maravedí (*m.*) *old Spanish coin
worth about a sixth of a cent
or a third of a farthing*

marcial martial, warlike

marco frame

marchar march (*in good order*);
vaya marchando march away;
y van marchando and are on
the march, III, 826

Marte Mars

más *adv.* more, the more, most,
besides, especially, II, 19;
in addition to, further, the
more so, once more, any more,
all the more; **— bien** better,
rather; **Y — hoy** and all the
more to-day, I, 48; **Otro
desdichado hay —** is there
still another unfortunate; **Y
como un hombre no —** and
merely as a man, nothing
more, III, 409; ¿ **no hay —?**
is that all? (*ironical*) III, 848
¿ **Será — de un villanote?**
is it likely he is more than a
peasant? III, 767 (*with a
negative idea either* **más de**
or **más que** *may be used.* H.
reads **más que**)

mas *conj.* but, why

matar kill (*cf. note to* I, 788)

mayor greater, greatest; best,
II, 429-430

mayormente chiefly, especially,
all the more

me me, myself, to me, *etc.*

medio middle, center, middle
part, means; *pl.* rents, income,
revenue, means; **sin —s, postres ni ántes** without beginning, middle, or end, I, 284;
de por — = por mitad between, I, 773

medio, -a half, mid, middle, center

mejor better, best; more mannerly; **a lo —** when least expected, in spite of everything, II, 52

mendicante mendicant, begging

Mendo (don, Don) *name of a nobleman in the play (see Introduction* XXIII)

menear stir, shake; *refl.* stir, move, be active

menester *m.* need; **ser —** be necessary; **haber —** need; **ha —** it is necessary

menguado, -a wretched, miserable, foolish, pusillanimous

menor (*comp. or superl. of* **pequeño**) smaller, less; lesser, smallest, least, slightest, most humble, of less account

menos less, least; **no vengo yo a servir — que para sufrir** I come no less to serve than to suffer

mentecato -a foolish, stupid; *noun* fool, imbecile

mentir lie

merced *f.* favor, mercy, kindness; **su —** his (your) worship, he, you

merecer deserve, attain, obtain

merecimiento merit, desert, worth; excellence, goodness, worthiness

mérito merit

mes *m.* month; monthly wages; **al —** a month; **con el —** every month

mesa table

mesmo = mismo

meter put, place, set, induce, prevail upon; **— en** introduce into, engage in; **¿Quién os mete en eso a vos?** ("*who mixes you up in this?*") what business is this of yours? I, 746; **métenla** *see note to stage direction following* II, 446

mezclar mix, mingle, unite

mi my

mí me

miedo fear; **tener —** fear, be afraid of

miel *f.* honey

mientras while, as long as; **— que** while

miga crumb, bit, small fragment; **hacer -s** agree, II, 500 (*see note to* I, 894)

Miguel de Cervantes *see* **Cervantes**

mil *m.* (a) thousand

militar *adj.* military, warlike, martial

militar serve (*in the army*), go to war

mina mine

mío, -a my, mine, of mine; **el — etc.** mine; *see* **ofensa**

mirar look at, behold, contemplate, see; aim, consider, remember, think, note, remark, give heed to; *refl.* be seen, look at oneself; **Que no mira en calidad** who does not make distinctions in rank, III, 958

miserable miserable, wretched

mísero, -a miserable, wretched

mismo, -a same, very, self; **a un tiempo —** at one and the same time, II, 813

mitad *f.* half; **de la — del camino** after going half the distance, III, 720

modesto, –a modest, unpretending, unassuming

modo mode, way, manner, state; **de —** so that, in such a way that

mohina animosity; **estar de —** be cross

mohino, –a fretful, peevish, cross

molestia annoyance, inconvenience, irritation

momento moment; **al —** immediately

monacal monkish, monastic

mondo neat, clean, pure

monte *m.* mountain; wood, forest

montón *m.* heap, pile, big mass

morir die; *refl.* die, be dying

moro, –a Moor

mortal *m.* human being, mortal man

mortal mortal, deadly, fatal; **Que venís mortal** for you come nearly dead, III, 732; much disturbed, upset; **¡ — gemido!** moaning (*as of some one dying*, II, 873)

mostrar show, make to see

mover move, touch, affect

mozo boy, lad, young fellow

muchacho lad, boy

muchísimo very much, greatest

mucho, –a much; too much, II, 17, II, 858; (*cf.* **pocos**, II, 590); **¿ que — que lo extrañe ?** what wonder I should find it strange?

muela molar tooth; **A ti te dé mal de —s** may he give you the toothache (*analogy of mal de ojos*)

muerte *f.* death; **dar —** kill

muerto, –a dead, exhausted, worn out, dead, tired, I, 17; *m.* **el muerto** the dead man

mujer *f.* woman

mundo world

murmurar murmur, mutter, whisper; gossip, malign, slander, backbite

música music

músico musician

muy very

N

nacer be born, come into the world, owe one's origin

nacimiento birth

nada nothing, not . . . anything, anything; **la herida no era —** the wound didn't amount to anything (*the opposite conventional phrase is* **algo**, II, 503); **no se ha de aventurar Nada** there must be no taking chances on anything

nadar swim

nadie no one, nobody; anybody, I, 342

necedad *f.* foolishness; *pl.* nonsense, silly things, foolish remarks

necesario, –a necessary; **lo —** what is necessary

necesidad *f.* necessity, need, urgency

negar deny, contradict, disclaim

negro, –a black, dark

ni neither, nor; *used redundantly* (*see* **aun**); **ni . . . ni** neither . . . nor

nieto grandson, grandchild; descendant

nieve *f.* snow

ningún *adj. before masculine nouns; see* **ninguno**

ninguno, –a, *adj.* no, none, not any; *pron.* no one, nobody; anybody, anyone

niña young girl; darling, II, 338

niño child

no *adv.* no, not (*sometimes redundant, see* **tanto**); ¿quién os dice que —? who says you can't [rest your leg]? I, 884; ¿Pues —? why not? II, 600; El — haber antes llegado my coming sooner (*redundant* **no** *after a negative idea.* H. *reads without the* **no**: El haber antes llegado)

noble noble

noche *f.* night; de — at night, in the night time; buenas —s good night

nombrar name, appoint

nombre *m.* name; fame

non *adj.* odd, uneven; *m.* an odd number; Así eran pares o — to whether they were odd or even

norte *m.* north; pole-star; guide, clew, direction

nos us, to us

nosotros we, us

notable notable, remarkable, signal; conspicuous, famous, distinguished; noticeable

noticia note (*of a bugle*); cadence; notion, sign, tidings

novedad *f.* novelty, surprise

nube *f.* cloud; (*slang*) cloak (*cf. note to* II, 441)

nuestro, –a our, ours, of ours

nueva news, tidings; *pl.* news

nuevo, –a new, fresh

nunca never

Nuño *name of Don Mendo's servant*

O

o or; — . . . — . . . either . . . or . . ., III, 160

obedecer obey

obediencia obedience

obligación *f.* obligation, debt, duty, agreement, task, engagement

obligar oblige, force, compel, constrain, bind, attach to oneself, place under obligation

ocasión *f.* occasion, reason, opportunity; peril, risk, danger, I, 832, III, 659; a buena — at an opportune time; — me dió furnished me the motive, I, 798; para haber Así puesto en — for having thus put in danger; con buena — in a good cause, II, 890

océano ocean, sea

ociosidad *f.* idleness, laziness, leisure, desire to while away the time

ocioso, –a idle, lazy, unoccupied; fruitless, useless

ocultar hide, withhold, conceal

oculto, –a hidden, dark, obscure

ocupado, –a busy, engaged, employed

ocupar occupy, have possession of, possess, have at one's disposal

ofender offend, displease

ofensa offense, injury, crime sin; rebuff; transgression, infraction, violation of duty; — mía an indignity to me, II, 467

oficio office, duty, function; **hacer elección de —** hold the election for the town offices, elect town officers

ofrecer offer, present; *refl.* occur, present itself; ¿ **que hay que se le ofrezca** *i.e.*, what can I do for you? I, 617

¡ **oh !** oh !

oído hearing; **—s** ears

oír hear, listen to, give ear (to)

ojeriza ill will, spite, resentment, hatred; **estar en —** be in an ugly mood

ojo eye; **en los —s** right in his face, I, 393; **Ojo, avizor** *see* **avizor** (*noun*), *and note to* I, 776

¡ **ola !** *the usual call to a subordinate to execute an order,* I, 834

olor *m.* smell, odor

olvidar forget; *refl.* be forgotten

olvido oblivion, forgetfulness; **poner en —** forget

opinión *f.* opinion, public opinion, belief; reputation, good name

oportuno, —a convenient

oprimir oppress, press, bind, lie heavy upon, weigh down; squeeze, crush

orden *f.* order, command; **— hay** there are orders, we have orders; (*monastic*) order (*see note to* I, 35); **— doy** I order *or* command, II, 487

ordenar order, command, arrange, direct, serve notice, enact, enjoin, pass for; **bien ordenadas** in good order

ordinario, —a ordinary; **justicia ordinaria** civil justice (*as opposed to military justice*)

orgullo pride

oriente *m.* Orient, East

oro gold; gold colored

os you, to you

osado, —a bold, brazen, shameless

osar dare

ostentar boast, exhibit, manifest, expose (*to the world*)

otro, —a other, another; a, some, II, 67

P

paciencia patience

padecer suffer   [ancestors

padre *m.* father; *pl.* parents,

paga payment, indemnity; guaranty, amends, satisfaction

pagar to pay

paja straw; chaff

pájaro bird

paje *m.* page

pala *f.* shovel

palabra word

palacio *m.* palace, fine mansion

palillo toothpick; **cálzome — y guantes** I'll take a toothpick and my gloves (*literally:* "put on," *etc.*); ¿ **Si te prenden el — por — falso ?** ("if they seize your toothpick for false representation ?" *said facetiously by Nuño*) if people think you are shamming ? I, 237–238

palo stick, cudgel, blow, stroke; **a —s** with blows

pan *m.* bread

paño cloth; material, basis, ground (*see note to* III, 588)

papel *m.* paper

par *m.* pair, couple; **a la —** *adv.* jointly, equally, II, 606 (H. *reads:* **Pues yo plaza pasaré Por él**); (*also* **al par = a la par**)

par *adj.* equal, alike, even

par = **por** (**par** *is an earlier form than* **por**, *being found in the Cid and in early Spanish*)

para to, for, in order to; on account of, towards, as far as, as; — **que** in order that; **estar** — be about to, be inclined to; ¿ **Estás** — **oír un consejo?** are you in a mood to listen to advice? ¿ — **qué . . . ?** (*see* **qué**); — **entre los dos** in confidence, just between us two

parar stop, stay, cease

pardo, -a brown, dark gray, dark, cloudy .

parecer *m.* opinion, mind, appearance; **a mi** — in my opinion, to my mind

parecer appear, seem, look like be visible, seem fit

parte *f.* part, piece, portion, allotment; faction, opponent, party, side, I, 99; **en cualquiera** — wherever; **a otra** — anywhere else; **en esta** — in this respect; **en esta** — **el grano, Y la paja en la otra** — the grain on one side and the straw on the other, I, 435; **a una** — on one side; **La vara a esta** — **dejo** I put aside the staff, III, 408; **Justicia la** — **espere** let the wronged party await justice from me, III, 761

participar partake, share

partido party; advantage, profit; game; *adj.* sharing, generous, openhanded, II, 711 H. *reads:* **esparcido**)

partir depart, go away, leave

parva heap of unthrashed grain

parra vine (*trained on a trellis or wall*)

pasar pass, go on, happen, take place, go through; undergo, go over; carry over, take, fetch, bring; — **a** pass, spend (*one's time*), live; **que a servir pasa Al Rey** that he is in the king's service, III, 787–788; *refl.* disappear; proceed to; **el pasado instrumento** the rack I have escaped

pasear walk (*a horse*) up and down; *refl.* take a walk, walk about *or* up and down

pasión *f.* passion

paso step, footstep; passageway, walk; **de** — briefly, temporarily; passing by; **dejo Abierto el** — I expose myself, III, 51–52

patena medal, ornament

patio yard, courtyard, court

patrimonio patrimony, inheritance, possessions

pavesa spark, ember, hot cinder

paz *f.* peace, calm, order, tranquillity; **le he rogado con la** — **y no la quiere** ("I begged him with peace") I offered him peace and he doesn't want it, III, 797–798 (K. *says* **rogar con la paz** = **rogar a buenos**; *but* **rogar a buenos** *needs quite as much explanation*)

pecho breast, bosom; heart, mind, secret thought

pedazo piece, bit, fragment

pedir ask, beg (for), request, petition (for)

Pedro Crespo *see* **crespo**

pelear fight, combat

peligrar be in danger

peligro danger

pelo hair, fiber; **sólo un — de la ropa** merely the hem of his garment

pelota ball (*speaking of tennis played in a covered court and also of the out-of-door game still common in the Basque villages*)

pena pain, sorrow, grief, grievance, suffering, punishment, purgatory, trouble; penalty; **— de muerte** on pain of death = **so pena de** under penalty of, I, 838

pendencia quarrel

penetrar penetrate, pierce

penoso, –a painful, tormenting, distressing, grievous

pensar think, believe, intend, mean, purpose; **— en** think of; **a lo que pienso** according to my way of thinking, III, 434

peña rock, cliff, crag

peor worse, worst

perder lose; destroy, spoil, ruin, undo; do without, be deprived (of), forfeit; *refl.* be lost, be destroyed, ruin

pérdida *f.* loss, privation; defeat

perdido, –a lost, strayed, misguided; undone, beside oneself, ruined, III, 739; *m.* good-for-nothing fellow, II, 767

perdón *m.* pardon

perdonar pardon, forgive, excuse, overlook

perecer perish; undergo toil, fatigue

perfección *f.* perfection, grace

perfecto, –a perfect

perla pearl

pero but

perpétuo, –a perpetual

perseguir pursue, persecute

persona person; **—s** (*for personajes*) cast *or* characters (*making up a play*); **que viene tras la —** who comes along in our train (*see note to* I, 64)

pesadumbre heaviness; grief, regret; trouble, bother

pesar *m.* sorrow, grief, regret; unpleasant affair, disagreeable matter; **a — suyo** in spite of him(self)

pesar grieve, make sorry, annoy; *refl.* be sorry; **les pesa** it vexes them [*as an interj.* ¡ **pesía** !)

pesía imprecation, curse, (*used*

petición *f.* petition, request, demand, claim

piadoso, –a pious, merciful, compassionate; **ser —s** *see* **ser**

pícaro rascal, rogue, villain

pie *m.* foot; **a vuestros —s rendido** devoted to your service

piedad *f.* piety, pity, mercy, compassion; **Si — es solicita Cualquiera** if some one is anxious to do a deed of mercy, III, 80

piedra stone

pienso (*horse's*) feed, fodder

pierna leg

pieza piece, fragment; gun, blunderbuss

pintar paint, color

pisar tread (on), step, walk (through)

placer please; ¡ **Pluguiera a Dios** ! would to heaven !

planeta *m.* planet; sun, II, 86
planta sole of the foot; foot; **las —s me dad** let me do you reverence
plata silver
plaza place, square; **pasar —** pass (for), be a substitute (for), II, 606
pliego sheet of paper
pluguiera *see* **placer**
pobre poor; poor fellow; **de —** as a poor man, on the word of a poor man
pobreta poor girl, unfortunate girl
pobrete poor fellow
poco, –a little, a little, but little; *pl.* few, a few; **—s** too few, II, 590 (*cf.* **mucho,** II, 17)
poco *adv. and pron.* little, a little; **otro —** for a little while, still a little while, II, 780
poder *m.* power; possibility
poder be able, can, may; afford, have power; **Poco y mucho pudiera** would that I could (give you) the much and the little (that I possess), I, 611; **Que a — estar secreto** that were it possible to be secret, III, 466
política policy, politics; politeness, civility
político, –a politic, mannerly, courteous, discreet
pompa pomp, pride, vanity
poner place, put (on), arrange, appoint, fix, make, keep; **paz pondré** I'll establish order, II, 493; *refl.* be placed *or* put, become, turn; apply oneself (to); **— en camino** set out, start off, II, 559; **Los brazos**

me pondrán hoy atrás they will (put) tie my arms behind me; **puesto en razón** based on reason, reasonable, III, 574
ponzoña poison, venom
por for, to, with, through, throughout, by, as to, in, into, in the name of, because, however, on account of, on the part of, on, over, upon; concerning; **— mí** for my part, as for me (*see* **si**); **— familia Que no sirve ni aprovecha** considering them of neither use nor profit, II, 33–34; **— muy hermosa** however beautiful (*she may be*), I, 182
porfiar insist, be obstinate, persist; **El ha dado en** he has taken it into his head to be obstinate *or* persist
porque because, for, in order that, so that
porqué why
portal *m.* entrance, portico
porte *m.* bearing, mien, air, deportment, appearance
Portugal *m.* Portugal
porvida (= ¡ por + vida! *exclamation or outcry*) by the living saints, II, 232
posada inn, abode, house, lodgings
posesión possession
postema abscess, tumor; burden, bore, annoyance; **sin ser — without** being a burden, I, 84
postizo, –a artificial, counterfeit, false, fictitious, make-believe
postrar prostrate, lay low, II, 116; humble, bow down; **Estaré siempre a vuestros pies**

postrado I shall always be your most humble servant

postre *m.* dessert, last course (*of dinner*)

potencia power, faculty (*of the mind*)

precepto precept, rule; command, injunction

precisar compel, oblige, necessitate

preciso, –a exact, necessary, that cannot be avoided, precise, clear, concise, particular; **En tán precisa ocasión** in a case like this, I, 704; **que es Voluntario y no precisa** that it [the sun] is subject to its own will and not constrained to follow another's dictates, III, 20

preferir prefer; be superior, surpass, be over and above

pregunta question

preguntar ask

premio *m.* reward, prize; intrinsic value

prendarse take a fancy

prender catch, seize, arrest, make a prisoner (of), imprison; **bien prendida** elaborately got up, finely dressed *or* gowned; **prendido** III, 862 ; **preso,** III, 883

preñado, –a pregnant

presente present (*tense*)

preso, –a taken; captured; *m. and f.* captive, prisoner

prestado, –a lent

prestar lend; assist

presto, –a quick, swift; ready, prepared; **presto** *adv.* soon, quickly, speedily

presumir presume

presunción conceit, vanity

pretender pretend; attempt, try, endeavor

pretérito preterit *or* past (*tense*)

prevención *f.* foresight; warning, forewarning, admonition; preparation, arrangement, disposition

prevenido, –a well prepared, ready, fully equipped; bribed; furnished, provided

prevenir prepare, make ready, prearrange, provide for; warn, advise, forestall, take charge; prevent; *refl.* make ready beforehand, I, 144; be all ready, be prepared, be on guard

prima cousin

primavera spring; forerunner, harbinger, precursor, III, 6

primero, –a first, chief, principal; **la silla primera** the best chair; **lo —** the first thing I do, in the very first place, I, 25, 560; **que el día —** the very first day [he arrived], III, 124–125

primicia first fruits (*offering*); *pl.* maiden effort, beginnings, amateurish attempts

primo cousin

principal essential

principio principle, beginning, origin; entrée (*play on the word in the culinary sense*, I, 279, 285)

prisa haste

prisión *f.* prison; (*pl.*) bonds; **Daos al instante a —** give yourself up immediately as a prisoner

probar prove, try, test

proceso lawsuit, trial, proceedings, case; **sin fulminar el —**

with regard for proceedings of law (*see* **fulminar**)

proceso *for* (**procesado**) indicted

procurar try, procure, endeavor

prolijo, –a prolix, tedious, long-winded

prometer promise

pronunciar pronounce, utter

propio, –a own, one's own; proper, peculiar, fitting; to be expected, natural, indicative, the part

propósito purpose, intention, design; a — apropos, to the purpose, timely

proprio, –a *antiquated for* **propio,** *q.v.*

proseguir continue, go on

proveer provide (for), furnish, try, supply, assist

prudencia prudence, moderation, circumspection

publicar publish, proclaim, announce, circulate, reveal

público –a public, common; en — publicly, openly

pueblo town, village; people

puerta door, gate; **todas las —s tomad** fasten all the doors, III, 384

pues for, since, then, well, so then, well then; — **sí** yes, indeed (*oftentimes need not be translated*); ¿— **no?** why not?

puesto place, position, post, spot

puesto, –a placed, set; ready; **¡ Bien puesta la caballera Trae Fulano** so-and-so wears his wig becomingly; **Ya está la litera puesta** the sedan chair is now ready, II, 670; — **que** *conj.* since, inasmuch as

punto point, dot; stitch; **al —** immediately; **por —s** from one moment to another; **poniéndose en —s** having his wound stitched (*see note to* II, 167); **por —** point for point, with all its details, III, 608

Q

que *pron. rel.* who, whom, which, that, what; **el —, la —, lo —** (*according to the antecedent*) the one who, that which

¿qué? *interrog.* what . . .? which? why? ¿**por —** why? **Pues —,** . . . what, then, . . ., II, 401; ¿**De — son estos extremos?** what's the reason of these broils? II, 474; ¿**De — han de ser?** for what (reason) have they (**albricias**) to be (given)? II, 563; ¿**Para — —** why, for what reason? III, 21

que *prep.* as, so; than; **no . . . más —** only

que *conj.* that, in order that, or, as if, for, because, since, as, so far as, let (*often omitted in translating,* I, 735); **si es —** if it be possible that; **hasta —** until; **a —** in order that; **a — que pago yo Por todos** (*i.e.,* " the question is asked with the object in view of my paying for all?") I'll wager I'm to pay for all, eh? ¿**—, en fin, no os mueve mi llanto?** [can it then be true] that my tears do not move you? III, 531

¡qué . . . ! *interj., adv.* what a . . .!

what! how! ¡— **de** . . . ! how
many . . . ! II, 156

quebrantar break, shatter, burst
(open)

quebrar break; shake

quedar remain, stay, be left, be;
refl. remain, continue, stay
behind (*see* **Dios** *and* **guardar**)

queja complaint

quejarse complain, lodge a
complaint, grumble, lament;

querella complaint   [regret

querellar(se) lament, bewail;
lodge a complaint, make an
accusation

querer wish, will, want, derive;
quiera Dios, may God grant

quien who, which, the one
who(m), the one which, he
who, any one who

¿ **quién** ? who ? whom ? ¡—. . .!
see note II, 372; if only one

quieto,-a quiet

Quijote *see* **Don Quijote**

quilate (*jewelry term*) carat *or*
karat; degree of perfection;
y aun oro de más —s ("and
even gold of the most carats ")
and even the very finest of
gold, I, 430

quitar take (*away or off*), carry
off, snatch; withdraw, leave;
get rid (*of*), take off; ruin,
III, 494

R

rabia rage

rama branch, limb, bough

rancho mess (*food and set of
persons*); small farm; **tomar
—** take one's appointed place

rapagón *m.* beardless young man

rapaz *m.* young boy, youth,

young fellow (*the Portuguese
word for* boy), I, 747

raro, -a rare, extraordinary

rasguño scratch, cut, slash (*with
a dagger*)

rato (*short space of*) time, while,
spell; **por mucho —** for quite
a while; **a poco —** in a little
while

rayo lightning (thunder)bolt,
flash, streak of lightning;
(*figuratively*) one quick to act,
hot-headed individual (*see note
to* II, 441–442)

razón *f.* reason, right, word,
argument, speech; **tener —**
be right; **en — de** with regard
to, concerning, with the object of; **es —que acuda** it is
fitting, proper, *or* I must needs
betake myself, II, 586

re (*intensive prefix*): ¡ **Reviva** !
A thousand times hail!

real *m.* real (*silver coin, worth
about five cents, no longer
coined, but still a favorite unit
of reckoning in many parts of
Spain*)

rebolledo thicket of oak sap-
lings

Rebolledo name of a soldier
(*suggestive of* **re** + **bollecer** *be
very noisy and blusterous; see
note to* **Rebolledo** (*page 114*)

rebozo (*muffling oneself up with
a* **capa**) muffler; **de — (=
embozado**), II, 149; muffled up,
in disguise, secretly (*cf.* **de
noche, de palabra,** *etc.*)

recado message; present, gift;
compliments, greetings

recibir receive, welcome; **de
mí muy mal recibida** (*jocose*

language, as though speaking of a guest, II, 505)

recogimiento concentration, care; thoughtfulness, decorum, devotion

recompensa compensation, offset, reward (*see note to* II, 187)

reconocer recognize

recto, –a upright

redimir redeem, prevent, relieve

referir refer; relate, tell, narrate, recount, report

reflejo reflected light; reflection

reformado, –a reënforced, strengthened, reconstructed, improved; reduced to a primitive condition; put out of commission; **La más reformada pieza** the most useless blunderbuss, II, 112

reformar reform, alter, reconstruct; lessen, reduce, diminish; replace, II, 33

refrán *m.* refrain, proverb, witty saying, saw; **Es propio De los que sirven,** — it is natural for servants [to make use of] proverbs

refresco refreshment

regalar give, present, entertain, regale; **regalarse** fare sumptuously

regalo present, perquisites, fees, tips

regidor *m.* alderman, councilman (*first magistrate of a city, town, or village; see note to* I, 76)

registrar inspect, search, take a look at

regla κ. rule, order, measure, adjustment (*see note to* I, 80)

reino kingdom, realm

reja grating (*of a window*); plough

religión *f.* religion; (religious) order, statute, profession, career

remediar remedy, set right, solace, correct, cure, prevent, avoid; **—se de su parte** make amends for his apportionment, I, 514

remedio remedy; help, assistance; **no tener —** be no remedy *or* redress, III, 952

remitir give up, hand over, delegate; postpone, defer

rencilla hard feeling; dissension, discord

rendido, –a devoted, attached (*see* **pie**)

rendir yield, submit, surrender, restore, give up; subdue, overcome, overpower; **rendido amante** devoted lover, I, 318

renegado, –a renegade, wicked person

reniego curse, execration

reñir quarrel, dispute, fight, contend, battle

reparar shelter, protect; parry, ward off (*blows*); look into (*the matter closely*), observe, give heed to, notice; stop; **— en** note, reflect on; *refl.* refrain; **— en** think over, consider, pay attention to

repetir repeat, echo

requebrar woo, make love, pay compliments to

reservar reserve, lay aside, save

resistencia resistance

resistir resist, endure

resolver resolve; *refl.* resolve,

make up one's mind, decide (upon); **Antes que se haya resuelto a lo mejor mi prudencia** before my prudence has decided upon milder means; **¿En eso os resolvéis?** is that your last word (*ultimatum*)? III, 545

respeto respect, regard, dignity, consideration; **por el —** out of respect; **al —** out of respect, I, 731

responder reply, answer, respond

respuesta reply, answer

restaurar restore, repair, reëstablish

resultar result, follow, ensue, issue

retirado, –a retired

retirar take away, withdraw, retire; hide away, conceal; *refl.* withdraw, go away, retreat, betake oneself, go

reventar burst

revés *m.* reverse, back, wrong side; (*fencing term*) slash from left to right (*see note to* II, 444); **al —** on the contrary; just the opposite, precisely the reverse, II, 703

reviva (*not from* **revivir**, *but from* **re**, *intensive or frequentative particle* + **viva**) **¡ —!** hail and hurrah! I, 89

rey *m.* king

rezago remainder, balance; reminiscence, reminder

rezar pray

rico, –a rich

riesgo risk, danger, peril, hazard

rigor *m.* severity, cruelty, harshness; **en —** to be precise, exact

rigurosamente rigorously, severely

riguroso, –a rigid, unyielding, austere, stern

risa laughter

robador *m.* robber, villain

robar rob; abduct, kidnap; despoil, violate

rocín *m.* nag, hack, sorry horse

rocinante poor, ungainly, weak horse (*see note to* I, 214)

rodado, –a *adj.* dappled, spotted (*of a horse, see note to* I, 225)

rodar roll, roll along (*on wheels*); be hauled, pulled, *or* dragged along

rodela buckler, round shield (*differing somewhat from the* **adarga**, II, 423, *in that it was round and covered particularly the breast*)

rodelilla small buckler *or* round shield

rodilla knee; **de —s** on one's knees

rogar pray, implore, entreat, beg; ask, request

romero rosemary (*a sweet smelling evergreen shrub, the flowers of which are whitish blue and blue*, II, 337)

romper break, break down, shatter, smash, destroy, burst (open); *see* **cabeza**

ropa clothing, dress, garments, clothes

rostro face, countenance, head

rucio, –a light gray; (*used as a noun*) light gray horse; donkey

ruego entreaty, prayer, request; **Por diligencia o por —** because of haste to get [to our destination] on *or* because of entreaties (*on the part of the mayor*) I, 40

rufo, -a red haired; **el —** the ruffian, the bully (*see note to* II, 430)

ruido (II. *reads* rüido) noise, II, 478; sound; tumult, difference, quarrel

ruina ruin, defeat, destruction

rústico, -a rustic, peasant, country

S

s *f.* s (*the letter* s; *see note to* III, 489)

sabello = saber (el)lo

saber know, know how, be able to, II, 411; taste; **os sabrá mejor la cena** the supper will taste better, I, 186; **Y el alférez sabrá** and the ensign shall know (*future is used as in English, in orders to be carried out in future time*, I, 628)

sacar take out, draw (*out*), remove, bring (*out or in*), get (*out*)

sacudir shake, throw, dart, let fly

sagrado asylum, place of safety, haven of refuge

sagrado, -a sacred, inviolate

sala hall, room

salida exit, outlet, way out, outlet

salir go out, come out, start, set out, go away, depart; issue, proceed, result, succeed, appear; come in, enter (*upon the stage*); *refl.* **— con** accomplish (*one's end; have one's*

own way, III, 771), propose, I, 400; **No se saldrá tal** he will not succeed in any such way, III, 772; **Par Dios, se salga con ello** by heaven (*take my word for it*), he will carry out his purpose, III, 771

saliva saliva, spittle; **que tu — y la mía** than your saliva and mine (*because uncontaminated by food impurity*)

salud *f.* health

salvo, a safe; **en —** in safety

Sampayo Sampayo, II, 427 (*pronounced in the Andalusian dialect* **Zampayo**)

sangre *f.* blood; ties of blood, relationship; **Que corra —** as to make your blood tingle, II, 426

saña anger, fury, passion, rage

sargento sergeant

satisfacer satisfy, give satisfaction, pay in full, settle; make amends for, atone for, expiate

satisfecho, -a satisfied

se *refl. pers. pron.* himself, herself, itself, each other, themselves, yourself, to himself, *etc.*; (*without reflexive force*) one, you, they, people; **La que — ama** the one that is loved *or* the one you love, I, 210; **Don Lope — le pidió** Don Lope asked him (*of Crespo*) for himself (**se =** *dative of advantage*, II, 571); *see* **sí**

secreto secret; **de —** secretly

seguir follow, pursue, chase, run after

según according to, according as, as, according to what; judging by, because

segundo, –a second

seguridad *f.* security, surety, safety; certainty; **tengo mi — I am perfectly safe**, III, 381

seguro, –a safe, certain, confident, sure, unfailing, unfaltering

seis six

selva forest, wood

semejante similar, like, such, of the sort, of that kind

sentar set, set down; *refl.* sit down, seat oneself, take a seat

sentencia sentence

sentenciar sentence, pass judgment on

sentido sense, feeling, reason

sentimiento feeling, sensation, emotion; grief, pain, regret; sorrow, concern; **mal haces de hacer — desto** ("you are wrong to make distress about that") you are wrong to be disturbed about that *or* to feel that way about it

sentir feel, hear, understand, perceive; regret, suffer from, be sorry; **— tanto** be so sorry

señalar direct, address

señor *m.* lord, master, gentleman; (*in direct address*) sir, Mr.; **Señores soldados** (*used thus, and before titles ceremoniously*); *see* **soldado**, I, 137

señora lady, madam

seor (*contraction of* **señor**; *cf.* **seora** *for* **señora**) Mr., sir, lord, I, 65

sepultado, –a hidden, concealed

ser be; **y es** and the fact is, I, 282; **Di ¿qué ha sido?** say,

what have you thought of? I, 601; **no era para vos tan fácil** would not be for you so easy, I, 398 (*the imperfect for the conditional*), *cf.* I, 765; **por — quien sois** because you are who you are (*i.e., of low birth*, I, 870) **sería desta manera** it was in all likelihood, something like this, II, 445 (*a frequent way of expressing probability when referring to past time corresponding to that of the future to denote present time; cf. Vocabulary*, **haber**); **si os obliga — piadosos** ("if the being kind hearted constrains you") if compassion appeals to you, III, 74–75; **que ventura ha sido** it has been a rare good fortune (*the compound of the present is here used, as frequently in Calderón, where the simple present might seem quite sufficient*); **Érase cierto Sampayo** there was (*once upon a time*) a certain Sampayo, II, 427

servicio service; good will, favor; way, manner of doing (*a favor*), giving (*a present*)

servir serve, be a servant, attend, wait upon, woo, court, pay attention to; *refl.* be served; make use of

si *conj.* if, whether, when, why; I wonder whether (*oftentimes merely emphasizes a following statement and need not be translated*); **por — in order to know whether, in case**, I, 133

sí *pron. refl.* itself, himself, herself, yourself, oneself; *see* **se**

sí *adv.* yes, so, but, rather, certainly, indeed; — **hará** yes, it

siempre always [will run, II, 426

siglo century, age

silencio silence

silla chair, scat; saddle (*see note to* III, 501)

simple simple; foolish; innocent, gentle

sin without; — **que** without

sino *conj.* but, except, only; **no — only, nothing but; no fuera — muy fácil** on the contrary it would be very easy; — **que** but, but that, except that; — **es hoy** only (it is) to-day, III, 746

sinrazón *f.* wrong, injustice, injury

siquiera scarcely, at least, if only (for the reason that, because), even; **ni — not** even

sitio place, site, spot

soberbio, -a proud, arrogant, haughty

sobrar be more than enough, be in abundance

sobre on, upon, over, about, above, as to; — **todo** especially; — **que** to the effect that

sobremanera beyond measure; extremely, in every possible way

socorrer succor, aid, help, come to, assist

socorro help

sol *m.* sun; heat

solamente only

soldadillo *dimin.* (insignificant) little soldier (*here disparaging; cf.* **Juanico**)

soldado soldier; **Señores —s** Fellow soldiers (*see* **señor**)

solicitar solicit; seek, procure, endeavor to, try, attempt, be anxious to find, III, 80; **Nadie entender solicita Tu fin** no one takes the trouble to divine your object, III, 695

solo, -a sole, single, alone, unaccompanied; **uno — one and the same**, II, 849

sólo *adv.* only, nearly, merely; alone, solely

soltar loose, untie, release, let go of

sombra shade, shadow

sombrero hat

sonar sound, resound, rustle, be heard

soplo blowing, puff, gentle breeze, breath, gust

sospecha suspicion

sospechar suspect

su his, her, its, their, your; **si dejo, por — respeto** if I refrain out of respect to him, III, 49; **Me valí de — respeto** I have availed myself of respect for it, III, 406 (*this use of the possessive is common in Calderón*)

süave gentle, mild, tender, soft; **hiriendo a soplos El viento en ellos — while the gentle wind blowing in puffs upon them**, I, 433-434

subir go up

suceder succeed, follow in order; take place, turn out, happen, come about, come to pass

suceso event, occurrence, happening

suegro father-in-law

suelo ground

suerte *f.* lot, fate, way; fortune, luck; **desta** — in this kind of a way; **de** — **que** so that, in such a way that

sufrimiento suffering, patience, endurance; **Quédese algo al** — let there remain some to put our forbearance to the proof, III, 458

sufrir suffer, undergo, tolerate, put up with, take

sujeto subject

sujeto, –a subject, exposed, liable, subjected

sulfúreo, –a sulphurous

suplicar entreat, beg, implore, beseech

suplir supply, provide, furnish, make up for; fill, fulfill

suspender suspend, lay aside, cease

suspiro sigh

sustancia substance, essence, nature of things (*philosophical sense*)

sustanciar substantiate, corroborate, verify, examine; try (*a case*), examine into (*judicially with a view to drawing up the sentence*, III, 809)

sustentar support, maintain, nourish, III, 487; assert; (*the word-play on* **sustentar** *maintain* [*by argument*] *in* I, 243 *and maintain* [*support materially*] *in* I, 244, *is apparent*)

sustento support

suyo, –a of his, of hers, of theirs, of yours, of its; **el** —, **la suya** his, hers, its, theirs, yours; **hacer de las suyas** act according to his (evil) nature, make a pretty mess of it, I, 670

T

tabla trough, board, slab (*upon which the bread is placed before being put into the oven*)

taina (*onomatopoetic word*, I, 103) a jingle to rhyme with **jacaran-daina** *in v.* 104

tajo cut; (*fencing term*) slash from right to left (*see note to* II, 444)

tal *adj.* such, such a, like, this, that, so (*constituted*), in such a state; **la** — **labradora** that peasant woman

tal *pron.* such, such a thing, this; **el** —, **la** — that person, the certain, the aforesaid; **voto a** — I swear ("by such and such a saint") by all that's sacred, I, 157

talar lay waste, destroy

talle *m.* figure

también also, likewise, as well

tambor *m.* drummer

tampoco neither, just a little, nor; **yo** — nor I neither

tan so, such a, so much, as, just as

tanto, –a so much, as much; *pl.* so many, as many, all the; **en** — **que** until, while

tanto *adv. and prep.* so, so much, so far, to such an extent (*degree*); **en** — **Que a Guadalupe no voy** until I go to Guadalupe, I, 846

tardar take long, delay, put off, linger

tarde *f.* afternoon, evening; **son las tres de la** — it is three o'clock in the afternoon; **por la** — in the afternoon.

tardo, –a slow, tardy; late, delayed

¡tate! *interj.* take care, halt, beware, stay

te thee, to thee, you, to you

tejado (*tiled*) roof

tema *m.* theme, motive, hobby, fad, fancy, obstinacy; **En notable** — **ha dado** he has taken a remarkable craze; **No es amor solo, que es** — it is not merely love (*full form* = **sino que**) but it is an obsession, II, 42

temer fear, be afraid

temeridad *f.* temerity rashness, audacity, recklessness

temerosamente timorously, timidly

temeroso, –a fearful, timid, timorous

temor *m.* fear, dread, apprehension

templar temper, soften; get ready; attune, bring into harmony, tune up, III, 633

templo temple, shrine, church

tender unfold, extend, spread

tener have, hold, possess, keep, take; consider; — **de** have to, be obliged to, ought, should; — **que** have to, have cause to; — **razón** be right; —**se** hold one's own; **¡tente!** stop! stay! **Por Dios que se las tenía Con todos el rapagón** by Jove, the boy held his own (*in the fight*) with them all, I, 783–784 (*a more complete expression is* **tenérselas tiesas** = hold firm); — **la con quien La tenga** be polite with the one who is polite (*the infini-*

tive used for the imperative, II, 230); **tal madre tuvo** such was her mother, III, 437; **Téngase** stay there, stand back (*see note to* II, 157)

tercio regiment

testarudo, –a obstinate, stubborn, hard-headed (— [I, 891] = **cabezudo**, III, 769)

testigo witness

ti thee, you, to thee, to you

tiempo time; **a un** — at the same time; **al** — at the same time: **a tan buen** — at such an opportune time; **sin** — unseasonable, inopportune, II, 71

tierra earth; ground; **en esta** — in the province of Estremadura, III, 378

tina *onomatopoetic word*, I, 101, *analogous to* **titiri**

tiranía tyranny

tirano tyrant

tirano, –a tyrannical, despotic, violent

tirar throw; thrust, deal (*blows*); **mas esto De** — this business of stone throwing, II, 341–342

titiri (*onomatopoetic word*, I, 101) *confused noise of flutes or other like instruments; and then, by extension, used to signify any noisy festivity*

tocar touch; belong (to), concern, touch (upon), hint at, trifle (with); be under the jurisdiction of; play (*on an instrument*); **tocan dentro** drum beating is heard within; — **a** behoove, appertain to

todo, –a all, every, whole; *m. noun* everything; *adv.* quite, entirely, all

tomar take, take (up *or* on): seize, take possession of, secure; **tomáramos** we should prefer, I, 265 (*see* **puerta**)

tono tone

topar knock, strike down; collide with; run across, meet with (*by chance*); **Y sólo ninguno os tope** I don't want any one to meet you alone, II, 502

torcer wring, twist

tormenta storm

tormento torment, torture (*on the rack to induce culprits to confess*); **dar —** torture, put to the rack

tornillazo (*from* **tornillo**, *a screw*) *augmen.* (*in military or familiar parlance*) desertion; **dar un —** desert, take to deserting, undertake, I, 43

torpe slow, dull, heavy; disgraceful, infamous

torre *f.* tower (*of a church*)

trabajo work, drudgery, toil, fatigue; poverty, indigence, want, need

traer bring, carry, come with, take (to), have, have about one; wear, I, 510, II, 654; **Voy a que traigan la cena** I'm going to see to bringing in the supper

traición *f.* treason, treachery

traidor *m.* traitor

traje *m.* costume, dress, uniform

tranquilidad *f.* calm, tranquillity, peace, rest, repose

tranquilo, -a quiet

tras behind, after

traste *m.* stop, fret (*musical terms*)

tratar treat, deal, handle, manage; try; **— de** try to; **Que siempre tratáis de honrarme** for you are always thinking of doing me honor, III, 726

trato treatment, conduct, manner of living; trade, traffic; **mal —** ill treatment; **—s de cuerda** (*see* **cuerda** *and notes to* I, 815 *and* I, 816); **De aquesos —s no soy** I don't stand for that kind of treatment, I, 818; (*Krenkel says Rebolledo takes* **trato** *in the commercial sense of the word: business dealing: I'm not in that kind of business*)

travesura folly; artifice

trazar plan, scheme, devise, think of

treinta thirty

trémulo, -a tremulous, quivering, flickering

tres three; **las —** three o'clock

tribunal *m.* tribunal

trillo harrow

triste sad, sorrowful, depressed

tristeza *f.* sadness, affliction, vexation, chagrin

triunfo triumph, victory

trivial trivial, commonplace, vulgar

trocar exchange; *refl.* change, be changed

trofeo trophy

tronera small skylight, porthole, window; *m. or f.* rattle-brained fellow (*see note to* I, 657)

troje *f.* granary, barn, shed

tropa troops; **en —s** without order, in a crowd (*after breaking ranks*), I, 134; **en la —**

with the soldiers, throng, *or* crowd

tropezón *m.* obstacle, obstruction, stumbling block, difficulty

tu thy, your

tú thou, you

turbar disturb, alarm; *refl.* be disturbed, upset, *or* alarmed

turbión *m.* whirlwind, tornado, squall, gale

tuyo, –a of yours, of thine, thine, thy, your, yours; **El consejo es como** — the advice is like yours, such as you give ("it is just like you to give such advice," *i.e., as one might expect from a man of your age and experience,* I, 459)

U

ucé = usted

uced = usted

último, –a last, latest

ultraje *m.* outrage, contempt

un, una *adj.* a, an, alike, identical, the same; *pl.* **unos, unas** some, a few; **Con** — **Don Lope** with a (certain) Don Lope

uno, –a *numeral* one, a person, some one, one thing; *pl.* some

urbanidad *f.* city refinement, politeness, courteousness

usar make use of

usté K. = usted

usted *m. or f.* you

V

va *see* ir

vagar rove, roam, ramble, stray

valer be worth; avail, aid, help; protect, defend; *refl.*

— **de** avail oneself of, make use of, seek protection from; **no valiera más** . . . would it not be better . . .

valiente valiant

valor *m.* valor, courage, bravery; manly worth, rank, virtue, III, 109; **con** — bravely strongly, valiantly; **¿ . . . mi** — **Dueño desta causa ha sido?** ("my rank was arbiter of this case"? III, 791–792) I was arbiter, *etc.* (**mi honor,** III, 329, *and* **mi valor** *may in such cases be looked upon as circumlocutions for the first person singular*)

vanidad *f.* vanity

vano, a haughty, vain, useless; **en** — in vain

vapor *m.* vapor, mist, exhalation; *pl.* vapors

vara rod; staff; **de justicia** *see note to* III, 326, *and Introduction* XXXVI

vaso vessel, vase, glass, cup

vaya *see* ir

vecino, –a neighboring, near-by, adjoining; *noun* neighbor

vejación *f.* vexation, discomfort, annoyance, nuisance

veloz swift, quick, fast; *adv.* swiftly

vello = ver + (el)lo

vender sell, betray

vendido, –a sold, betrayed, prostituted

veneno poison, venom, bitter gall

venera scallop shell (*worn as a badge by pilgrims*); badge, locket, medallion

venganza vengeance, revenge

vengar avenge, take vengeance, revenge; *refl.* be revenged; avenge oneself, III, 328

vengativo, –a revengeful, vindictive, implacable

vení = venid (*see* **venir**, *and cf. popular pronunciation, the* **d** *disappearing thus when final; cf.* **veníos** *for a like phonetic change*)

venida coming, arrival

venir come, arrive, be; **— a** begin; *refl.* come; **Vos seáis bien venido** be welcome; **No viniera a lo que vengo** I would not come here for the purpose I do come for, III, 468; **Pues a decirme vení** well then, go on and tell me, III, 777 (*see* **vení**)

ventaja advantage, profit, benefit

ventana window; **dale con la —** *see* **dar**

ventura fortune, chance, happiness; honor; good fortune (*as contrasted with* **fortuna** = *evil fortune; see* **fortuna**)

ver see, understand, examine, judge; **malo lo veo** it is difficult; **tener que — con** have to do with, III, 370, 395–396; **ved mejor lo que decís** weigh well what you say (*before speaking*)

verano summer

veras *f. pl.* truth, reality; **de —** seriously, in earnest, II, 22

verdad *f.* truth; **es —** it is true; **a la —** truly, in fact, in truth; **a decir —es** to speak one's mind freely

verdadero, –a true, real, veritable, truthful

verdugo hangman, public executioner

vergüenza shame; **tener —** be ashamed of

vestido *m.* dress, clothes, clothing; proper garment, suit of clothes

vestir clothe, cover

vez *f.* time; **de una —** at one draught, at once, just once, once and for all; **tal —** perhaps; **desta —** this time (for sure); **cuantas veces** as often as, III, 976

vía way, road; **por —** in a manner, as a means

¡víctor! long live! hurrah for! *cf.* **vivir**

victoria victory

vida life; **por mi** (**tu,** *etc.*) **—** on my (your, *etc.*) life; **en mi —** (*with no expressed negative when preceding the verb or used alone*) never in my life (*or* in the world) I, 385; II, 131; **toda mi — = en toda mi —** I, 193; **— mía** *or* **mi —** (*term of endearment*) my life, my darling; **Que me va la — advierte** remember (that it is a question of my life) that my life depends on it; **con —** alive; **Por — del cielo = Viven los cielos** by heaven

viejo, –a old; **el —** the old man; **— cansado** tiresome old man, III, 519

viento wind, breeze

vientre *m.* womb; belly

villa town; town government

villana peasant girl, farmer's daughter, village girl (*of humble birth*)

villanaje *m.* peasantry, townspeople

villanchón *m.* rustic, boor

villano peasant, villager, rustic, churl; — **malicioso** evilly disposed commoner, I, 409, 588

villano, –a rustic, peasantlike, plebeian, low born, base

villanote *adj. and m. augmen.*, villain, rustic; boor, lout

violencia violence

virtud *f.* virtue

viso view, aspect; gleam, light, sheen

vista outlook, view, prospect; aspect, appearance; sight, glance, III, 216

visto, –a seen, evident, clear; **mal** — disapproved, disliked, II, 709

vítor K. = **víctor**

vitoria K. = **victoria**

vivir live, be, dwell; ¡ **viva** ! hail ! long live ! hurrah ! (*shout of approval in Spanish theatres*) ¡ **vive Dios** ! (*used as an interjection, not subjunctive, but 3d pers. sing. indicative of* **vivir**, as sure as there is a God) by heaven ! by Jove ! ¡ **Viven los cielos que** (*same construction as preceding*) by heaven, I can tell you that, I, 86; ¡ **Vive el cielo, Que todo ha sido invención** as sure as fate, the whole business is a trick (*or* on my life, *etc.*), I, 735–736 (*the context alone determines the strength of the interjection*); **vive Cristo** *see* **Cristo**; **dónde vive o no** (where he lives or doesn't live) where I can find him, III, 775

vivo, –a alive

voacé = **vuestra merced** = **usted** (*one of a number of analogous formations:* **ucé, uced, usté, vuasté,** *etc.*)

vocear cry out, scream

volar fly; **id volando** go on the run, III, 823

volcán *m.* volcano

voluntario, –a voluntary, subject to one's own will; willing, spontaneous

volver turn, return, take back, come back; — **a** (*repeats the action of the following verb*) do again; **al** — upon returning, upon his return; **vuelve a matarme** return and kill me, III, 67; **En brazos al Capitán Volvieron hacia la villa** they took back to the town the captain in their arms; **volved los ojos** look

vos you (*sing. of address antiquated for* **vosotros,** *but found still in prayers, formal address, etc.,* I, 694, 698)

vosotros you

votar vow, swear

voto oath, vow, prayer (*used in exclamations:* ¡ — **a** . . . ! *getting its meaning from the context, frequently indicating disgust and vengeance; see* **Dios, tal**)

voz *f.* voice, word, cry; **da — al aire** let your voice go forth (*into the air*), II, 423–424; **dar voces** cry, give orders, command, call out; **a voces** with loud cries; **confusas Voces el eco repita** let the echo repeat my confused words, III, 65–

66; **antes que corra Voz** before the rumor spreads, III, 361–362

vuece K. *see* **voacé**

Vuecelencia *and* **Vuecencia** (*contractions for* **Vuestra Excelencia**) your excellency

Vuexelencia = **Vuecelencia**, H.

vuelta turn, turning, return; **a la** — as you turn, at the turning; **Demos la** — **a mi casa** let us return home

vuestro, –a your, of yours, yours; **el** — yours

vulgar vulgar, ordinary, common

vusse K. *see* **voacé**

vustedes K. *see* **usted**

Y

y and (*see note to* I, 479)

ya already, now; to be sure, of course, yes; — . . . — now . . . now; **fuese** — **verdad o** — **cautela** whether genuine on the one hand or crafty on the other (*here used as a distributive conjunction*); — **que** seeing that, inasmuch as, II, 665

yerno son-in-law

yerra *see* **errar**

yo I

Z

Zalamea *see note to page 114*, **Zalamea**

zozobrar upset, worry, imperil, put in the balance

Bazin, René.

Littérateur, né a Angers en 1853.
Avocat, professeur de droit à la
université catholique de sa ville
natale, il se fait connaître par des
nouvelles, des romans, des
impressions de voyage en France,
en Espagne en Italie. Il collabore
au _Journal des Débats_, au
Correspondant, etc. C'est un
écrivain délicat et tendre, ayant
un sentiment très vif de la nature,
et qui excelle à ressusciter les
moeurs du passé, les traditions
envolées.